Aqualog EXTRA

reference fish of the world

CW00819202

Alle C-Nummern

All C-Numbers

Hans-Georg Evers
Frank Schäfer

Die folgenden Bildautoren trugen zur inhaltlichen Gestaltung dieses Buches bei:
The following photographers contributed to this volume:

Hans-Georg Evers	Hans J. Mayland
Schuzo Nakano	Dietrich Rössel
Frank Schäfer	Erwin Schraml
Rainer Stawikowski	Frank Teigler

Ferner danken die Autoren in besonderer Weise den folgenden Personen für Tiere, die Vermittlung von Bildmaterial und/oder vielfältige sonstige Unterstützung.
Special thanks to the following persons for fishes and/or other help:

All from Aquarium Glaser, Rodgau, Germany, especially Ursula Glaser-Dreyer, Christian Fiedler, Christian Plaul and Manuela Wagner; Jorge Panduro, Iquitos, Peru; Martin Mortenthaler, Aquarium Río Momon, Iquitos, Peru; Roland Numrich, Mimbon Aquarium, Cologne, Germany; Marco Lacerda, Trop Rio, Rio de Janeiro, Brazil; Maik Beyer, Apisto Heaven, Rio de Janeiro, Brazil; Marcos Wanderley, D´Agua, Recife, Brazil; Carlos Areia, D´Agua, Recife, Brazil; Herbert Nigl, Aquarium Dietzenbach, Germany; Neil Woodward, Piers Aquatics, Wigan, England; Joachim Knaack, Neuglobsow, Germany; Ingo Seidel, Aqua Global, Seefeld, Germany; Ian Fuller, Kidderminster, England.

AQUALOG Extra: Alle C-Nummern / All C-Numbers
Hans-Georg Evers, Frank Schäfer

Rodgau: Aqualog-Verlag A.C.S. (AQUALOG)

ISBN 3-936027-41-2

© 2004 by Verlag A.C.S. GmbH (Aqualog), Liebigstraße 1, D-63110 Rodgau

Fax. + 49 (0) 6106 644692
E-mail: info@aqualog.de
http://www.aqualog.de

Text und fachliche Bearbeitung
Hans-Georg Evers, Frank Schäfer
Übersetzungen
Deutsch-Englisch: Mary Bailey
Bildbearbeitung, Layout, Titelgestaltung
Verlag A.C.S.
Redaktion
Frank Schäfer
Titelgestaltung:
Verlag A.C.S.
Druck, Satz, Verarbeitung:
Lithos: Verlag A.C.S.
Druck: Westermann Druck, Zwickau
Gedruckt auf Magnostar glänzend,
100% chlorfrei von PWA, umweltfreundlich.
PRINTED IN GERMANY

Exclusive distributor of Aqualog Book Series in the USA:

Hollywood Import & Export. Inc.
PO BOX # 220024; Hollywood, FL 33022-0024; Tel: (954) 922 2970; Fax: (954) 926 5476; e-mail: aqualogusa@cs.com

Bilder von Hans J. Mayland, Schuzo Nakano, Frank Schäfer, Erwin Schraml und Frank Teigle sind Teil des umfassenden Bildarchivs des Verlages. Bei Anfragen wenden Sie sich bitte an das Bildarchiv Hippocampus:
http://www.hippocampus-bildarchiv.de

Pictures of Hans J. Mayland, Schuzo Nakano, Frank Schäfer, Erwin Schraml and Frank Teigler are part of the archives of the publisher. For requests please contact the picture archives Hippocampus:
http://www.hippocampus-bildarchiv.de

Cover photos:

Front Cover:
Corydoras sp. "C 84" (photo: Hans-Georg Evers)
Corydoras tukano "C 64" (photo: Dieter Bork)

Back Cover:
Corydoras sarareensis "C 23" (photo: Schuzo Nakano)
Corydoras incolicana "C 1" (photo: Frank Teigler)
Aspidoras sp. "C35", "Black Phantom" (photo: Hans-Georg Evers)

Wozu C-Nummern
Why C-numbers?

Die Panzerwelse (Callichthyidae) werden systematisch in zwei Unterfamilien eingeteilt, die Schwielenwelse (Callichthyinae) und die Eigentlichen Panzerwelse (Corydoradinae). Die Eigentlichen Panzerwelse sind eine mit ca. 150 beschriebenen und mindestens noch einmal so vielen wissenschaftlich noch nicht erfassten Arten eine sehr unübersichtliche Gruppe. Insgesamt steht man erst am Anfang der Erforschung der Systematik dieser Fische, die offenbar alle sehr eng miteinander verwandt sind.

Im Dezember 2003 veröffentlichte der Ichthyologe Marcelo R. BRITTO eine große vergleichende Studie der Corydoradinae, in der er 83 Merkmale von Arten der Gattungen *Aspidoras, Brochis* und *Corydoras* berücksichtigte. Als Ergebnis bestätigte er die bereits früher angenommene Monophylie der Corydoradinae (dass also alle Arten von einem gemeinsamen Vorfahren abstammen) und konnte, was neu ist, zeigen, dass einige früher unter *Corydoras* geführte Arten viel näher mit *Aspidoras* als mit den übrigen *Corydoras* verwandt sind. Für diese Arten, es handelt sich um die früheren *Corydoras barbatus, C. macropterus, C. prionotos* und *C.* sp. A (diese Art ist aquaristisch als *Corydoras* sp. "Baianinho II" oder C 112 bekannt) setzt er den von GÜNTHER 1864 aufgestellten Gattungsnamen *Scleromystax* (Typusart: *Callichthys barbatus* QUOY & GAIMARD, 1824) wieder ein. Die übrigen von ihm untersuchten *Corydoras* konnte BRITTO zwar in Gruppen ("Clades") einteilen, doch genügten ihm die Unterschiede bei der von ihm verwendeten Methode nicht, um sie in Gattungsdefinitionen ausdrücken.

Es ist hier nicht der geeignete Ort, um die Arbeit BRITTOS ausreichend zu würdigen oder zu diskutieren. Das Beispiel wurde nur angeführt, um zu zeigen, was die Eigentlichen Panzerwelse auch auf Artebene so schwer unterscheidbar macht. Ihr Körperbau ist ein evolutives Meisterwerk und hat sich über Jahrmillionen fast unverändert behauptet. Neben unterschiedlichem Fress-, Schwimm- und Fortpflanzungsverhalten ist der wesentlichste Unterschied zwischen vielen Arten die Körperform und -zeichnung und die sind in den meisten Fällen auch noch sehr variabel. Trägt man zudem dem Umstand Rechnung, dass auch bei *Corydoras* die Färbung in Alkohol oder Formalin (Exemplare, nach denen wissenschaftliche Beschreibungen angefertigt werden, sind immer konserviert, oft hat der Beschreiber sie nie lebend gesehen) oft ganz erheblich von der Lebendfärbung abweicht, so wird schnell klar, dass die Bestimmung von *Corydoras* ein mühseliges und oft genug aussichtsloses Geschäft ist, um so mehr, da einige Originaltypen (das sind die der wissenschaftlichen Beschreibung zugrunde liegenden Exemplare) als "verschollen" gelten.

Nun steht in der Aquaristik ja nicht der wissenschaftliche Name einer Art im Mittelpunkt des Interesses, sondern das lebende Tier. Aber irgendwie muss man sich ja über die jeweils gepflegte Art unterhalten können und so wurden in der Zeitschrift DATZ (= **D**ie **A**quarien- und **T**errarienzeitschrift) C-Nummern für bereits importierte, jedoch noch nicht identifizierte Corydoradinae kreiert. C-Nummern sind nicht als Ersatz für wissenschaftliche Namen zu sehen. Sie sollen lediglich ordnen helfen. Dabei wird allerdings schon darauf geachtet, dass neue C-Nummern gegen ähnliche Arten abgegrenzt werden. Zudem werden möglichst außergewöhnliche Arten, die eindeutig anders als bislang bekannte Panzerwelse sind, gewählt oder Arten, bei denen zumindest die ungefähre Herkunft (Flusssystem!) bekannt ist und die vom bislang dokumentierten Verbreitungsgebiet ähnlicher Formen abweicht.

Die erste C- Nummer erschien in der Ausgabe 12/1993. Einige Arten, so auch C 1, wurden in der Zwischenzeit entweder als neue Art beschrieben (C 1 ist *Corydoras incolicana* BURGESS, 1993) oder aber als bereits beschriebene Art identifiziert. Die Mehrzahl der C-Nummern bleibt jedoch nach wie vor schlecht zuordenbar. Der große AQUALOG **all Corydoras**, erschienen 1996, enthält bereits die C-Nummern 1-46. Es erschien uns jedoch sinnvoll, einmal ein Gesamtverzeichnis aller C-Nummern zu erstellen, das neuesten Erkenntnissen entspricht, denn zwischenzeitlich ist man bei C 132 angelangt und ein Ende ist nicht abzusehen.

Wir wünschen allen *Corydoras*-Fans viel Freude an diesem Aqualog Extra.

Rodgau, im Juni 2004

Hans-Georg Evers
Frank Schäfer

For systematic purposes the mailed catfishes (Callichthyidae) are divided into two subfamilies, the Callichthyinae and the Corydoradinae (the true mailed catfishes). The true mailed catfishes, with around 150 described species and at least as many not yet classified by science, form a highly complex group. All things considered, research into the systematics of these fishes, which are apparently all very closely related to one another, is very much in its infancy.

In December 2003 the ichthyologist Marcelo R. BRITTO published an extensive comparative study of the Corydoradinae, in which he considered 83 characters of species of the genera Aspidoras, Brochis, and Corydoras. As a result he confirmed the previously assumed monophyly of the Corydoradinae (ie that all species originate from a common ancestor), and was also able to demonstrate (and this is new) that a number of species hitherto assigned to Corydoras are in fact much more closely related to Aspidoras than to the remaining Corydoras. For these species, previously designated Corydoras barbatus, C. macropterus, C. prionotos, and C. sp. A (in the aquarium hobby this species is known as Corydoras sp. "Baianinho II" or C 112), he revived the genus Scleromystax (type species: Callichthys barbatus QUOY & GAIMARD, 1824) erected by GÜNTHER in 1864. BRITTO was also able to split the remaining Corydoras studied into groups ("clades"), but the methods used did not reveal sufficient distinctions between these groups to produce generic definitions.

This is neither the time nor the place to evaluate or discuss BRITTO's work in detail. The example is cited simply to illustrate what makes the true mailed catfishes so difficult to differentiate at species level as well. Their body structure is an evolutionary masterpiece that is thought to have remained almost unchanged for millions of years. In addition to different feeding, swimming, and breeding behaviour, the most significant difference between many species is the body shape and markings, and in most cases these are highly variable. If we also take into account the fact that the coloration of Corydoras often changes considerably from live coloration when they are preserved in alcohol or formalin (the specimens from which scientific descriptions are prepared are always preserved, and often the describer will never have seen a live individual), then it rapidly becomes clear that the determination of Corydoras is a difficult and often rather hopeless business, and the more so because some of the original types (ie the specimens on which the scientific description is based) are thought to be "lost".

Now, it is true that in the aquarium hobby it is not the scientific name of a species, but the live fish, that is the centre of interest. However, it is sometimes necessary to be able to indicate what species we are talking about, and hence C-numbers were brought into being in the magazine DATZ (= Die Aquarien- und Terrarienzeitschrift), for identifying Corydoradinae that have been imported but not yet determined. C-numbers should not be regarded as a substitute for scientific names. They are intended merely as an aid to cataloguing. At the same time, care must be taken to ensure that new C-numbers are differentiated from similar species. For this reason it is better, whenever possible, to select unusual species that are clearly different to any mailed catfishes hitherto known, or species for which at least an approximate origin (river system!) is known, and which differs from the distribution area(s) previously documented for similar forms.

The first C-number appeared in the DATZ of 12/1993. Since then a number of species, including C1, have either been described as new species (C 1 is Corydoras incolicana BURGESS, 1993) or identified as existing described species. The majority of C-numbers, however, remain just as difficult to classify as in the past. By the time the AQUALOG all Corydoras was published in 1996 there were already C-numbers 1-46. In the meantime we have reached C 132 and there is no end in sight. But we nevertheless feel it makes sense to publish this complete list of all the C-numbers to date, compiled in line with the most recent knowledge.

We wish all Corydoras fans great pleasure in this Aqualog Extra.

Rodgau, June 2004

Hans-Georg Evers
Frank Schäfer

C-Nummer / C-number	Herkunft / Origin	DATZ
C 1 Corydoras incolicana	Brazil: Rio Içana	12/1993: 755
C 2 C. parallelus	Brazil: Rio Içana	12/1993: 755
C 3 C. sp.	Kolumbien/Colombia	12/1993: 755
C 4 C. virginiae	Peru: Río Ucayali	12/1993: 755
C 5 C. pantanalensis	Brazil: Mato Grosso	12/1993: 755
C 6 C. sp.	Brazil: Rio Guamá	12/1993: 755
C 7 C. sp.	Peru	12/1993: 755
C 8 C. sp.	unbekannt/unknown	12/1993: 755
C 9 C. sp.	Peru	12/1993: 755
C 10 C. sp.	Brazil	12/1993: 755
C 11 C. mamore	Bolivia: Río Mamoré	12/1993: 755
C 12 C. cruziensis	Bolivia: Dept. Santa Cruz	12/1993: 755
C 13 C. sp.	Colombia	12/1993: 755
C 14 C. sp.	Venezuela: Río Caroni	12/1993: 755
C 15 C. lacerdai	Brazil: Bahia	4/1994: 212
C 16 C. cf. simulatus	Colombia	4/1994: 212
C 17 C. stenocephalus	Peru	4/1994: 212
C 18 C. sp.	Brazil	4/1994: 212
C 19 C. sp.	Brazil	11/1994: 689
C 20 C. cf. arcuatus	Brazil: Rondônia, Humaita	12/1994: 755
C 21 C. sp.	Brazil: Rio Xingú	12/1994: 755
C 22 C. cochui	Brazil: Rio Xingú, Rio Araguaia	12/1994: 755
C 23 C. sarareensis	Brazil: Rondônia, Rio Sarare	12/1994: 755
C 24 C. cf. acutus	Brazil: Rio Guamá	12/1994: 755
C 25 C. pinheiroi	Brazil: Rondônia	1/1995: 9
C 26 C. kanei	Brazil: Rondônia, Rio Branco	1/1995: 9
C 27 C. seussi	Brazil: Rondônia	2/1995: 73
C 28 C. cf. cervinus	Brazil: Rondônia, Mato Grosso	4/1995: 260
C 29 C. sp.	Brazil: Amapá	4/1995: 260
C 30 C. cf. brevirostris	Brazil: Amapá	4/1995: 260
C 31 Corydoras bondi	Brazil: Roraima, Rio Branco	8/1995: 481
C 32 C. blochi	Brazil: Roraima, Rio Tacutu	8/1995: 481
C 33 C. sp.	Brazil: Roraima	8/1995: 481
C 34 C. cf. melanistius	Brazil: Roraima	8/1995: 481
C 35 Aspidoras sp.	Brazil: Goiás, Rio Araguaia	10/1995: 617
C 36 A. sp.	Brazil: Goiás, Rio Araguaia	10/1995: 617
C 37 A. sp.	Brazil: Rio Tesouras	10/1995: 61/
C 38 Corydoras sp.	Brazil	3/1996: 172
C 39 C. sp.	Brazil: upper Rio Negro	3/1996: 172
C 40 C. sp. aff. griseus	Brazil: Rondônia	3/1996: 172
C 41 C. sp.	Brazil: Rondônia	3/1996: 172
C 42 C. sp.	Brazil: Rondônia	3/1996: 172
C 43 C. sp.	Brazil: Rondônia	3/1996: 172
C 44 C. sp.	Brazil: Rondônia	3/1996: 172
C 45 C. cf. araguaiensis	Brazil: Rio Cristalino	3/1996: 172 ; 9/1998: 604
C 46 C. kanei	Brazil: Rio Branco	3/1996: 172
C 47 C. sp.	Brazil: Pará, Rio Guamá	4/1996: 210
C 48 C. sp.	Brazil: Pará, Rio Guamá	4/1996: 210
C 49 C. sp.	Brazil: Rondônia	7/1996: 414
C 50 C. sp.	Brazil: Rondônia	7/1996: 414
C 51 C. sp.	Brazil	7/1996: 414
C 52 C. sp.	Peru	11/1996: 686
C 53 C. sp.	Peru	11/1996: 686
C 54 C. sp.	Brazil: Rio Tocantins	11/1996: 686
C 55 C. xinguensis	Brazil: Rio Xingú	11/1996: 686
C 56 C. sp.	Brazil: Rio Guaporé	11/1996: 686
C 57 C. sp.	Brazil: Pernambuco/Recife	3/1997: 145
C 58 C. cf. haraldschultzi	Brazil: Rondônia	8/1997: 491
C 59 C. multimaculatus	Brazil: Bahia	8/1997: 492
C 60 C. osteocarus	Venezuela	1/1998: 6
C 61 C. sp.	Venezuela: Río Chaviripa	1/1998: 7
C 62 C. cf. brevirostris	Brazil: Rio Tocantins	3/1998: 145
C 63 C. sp.	Brazil: Rio Tocantins	3/1998: 145
C 64 C. tukano	Brazil: Rio Tiquié	4/1998: 210
C 65 C. sp.	Brazil: Rio Araguaia	9/1998: 604; 2/2002: 14
C 66 C. sp.	Brazil: Rio Branco drainage, Rio Acre	1/1999: 7
C 67 C. sp.	Brazil: Bahia/ Guanambi	1/2000: 58
C 68 C. sp.	Brazil: Mato Grosso, Rio Cristalino	2/2000: 14

C-Nummer / C-number	Herkunft / Origin	DATZ
C 69 C. maculifer	Brazil: Rio Araguaia, Ilha do Bananal	2/2000: 14
C 70 C. areio	Brazil: Mato Grosso	2/2000: 58
C 71 C. sp.	Brazil: Rio Aruá	3/2000: 6
C 72 C. sp.	Venezuela: Río Caura	3/2000: 6
C 73 C. sp.	Brazil: Rio Madeira drainage	10/2001: 32
C 74 C. sp.	Brazil: Rio Madeira drainage	10/2001: 32
C 75 C. sp.	Brazil: Rio Madeira drainage	10/2001: 33

C 73, 74, 75 doppelt vergeben; Korrektur in Datz 5/2003 erfolgt
C 73, 74, 75 erranously given two times; see Datz 5/2003 for correction

C-Nummer / C-number	Herkunft / Origin	DATZ
C 76 C. sp.	Brazil: Rio Madeira drainage	10/2001: 32
C 77 C. sp.	Brazil: Rio Madeira drainage	10/2001: 32
C 78 C. sp.	Brazil: Rio Purus; Peru: Madre de Dios	10/2001: 33
C 79 C. cf. loxozonus	Colombia	12/2001: 2
C 80 C. sp.	Brazil	12/2001: 2
C 81 C. cf. sodalis	Brazil: Humaita	8/2002: 35
C 82 C. loxozonus	Colombia	8/2002: 35
C 83 C. cf. loxozonus	Colombia	8/2002: 35
C 84 C. sp. aff. melini	Colombia/Brazil: Rio Tiquié	9/2002: 24
C 85 C. sp. aff. melini	Peru: upper Río Huallaga	9/2002: 24
C 86 C. sp.	Brazil: Rio Tapajós	9/2002: 24
C 87 C. sp.	Brazil: Rio Xingú	9/2002: 24
C 88 C. sp. aff. undulatus	Brazil: Mato Grosso	9/2002: 24
C 89 C. sp.	Colombia	9/2002: 24
C 90 C. sp.	Venezuela: Río Manapiare	9/2002: 24
C 91 C. sp.	Peru: Río Huallaga	12/2002: 28
C 92 C. sp.	Peru: Río Huallaga	12/2002: 28
C 93 C. sp.	Colombia	12/2002: 64
C 94 C. sp.	Venezuela: Río Caroni	1/2003: 24
C 95 C. sp.	Venezuela: Río Caroni	1/2003: 24
C 96 C. sp. aff. armatus	Peru: Río Nanay	1/2003: 24
C 97 C. sp.aff. atropersonatus	Peru	1/2003: 24
C 98 C. sp.	Brazil	5/2003: 19
C 99 C. sp.	Venezuela	5/2003: 18
C 100 C. sp. aff. evelynae	Brazil: upper Rio Negro	5/2003: 18
C 101 C. sp.	Peru	5/2003: 18
C 102 C. sp.	Peru	5/2003: 19
C 103 C. sp.	Peru	5/2003: 19
C 104 C. sp.	Peru	5/2003: 19
C 105 C. xinguensis	Brazil: Rio Xingú, S. Felix	5/2003: 24
C 106 C. xinguensis	Brazil: Rio Xingú, S. Felix	5/2003: 24
C 107 C. xinguensis	Brazil: Rio Xingú, S. Felix	5/2003: 24
C 108 C. xinguensis	Brazil: Rio Xingú, S. Felix	5/2003: 24
C 109 C. sp.	Brasilien, Belém	7/2003: 23
C 110 C. sp.	Brazil: Rio Purus	8/2003: 33
C 111 C. nijsseni	Brazil: upper Rio Negro	9/2003: 40
C 112 Scleromystax sp.	Brazil: São Paulo	10/2003: 34
C 113 S. sp.	Brazil: Bahia	10/2003: 34
C 114 Corydoras sp. aff. paleatus	Brazil: Curitibá	10/2003: 36
C 115 C. sp.	Peru: Río Madre de Dios	11/2003: 11
C 116 C. sp.	Peru: Río Madre de Dios	11/2003: 11
C 117 C. sp.	Brazil: Rio Purus	11/2003: 13
C 118 Aspidoras sp.	Brazil: Goiás?	12/2003: 16
C 119 A. sp.	Brazil	12/2003: 17
C 120 Corydoras sp.	Peru: Río Madre de Dios	12/2003: 17
C 121 C. sp. aff. burgessi	Brazil: upper Rio Negro	3/2004: 20
C 122 C. sp.	Brazil: Rio Araguaia	3/2004: 20
C 123 C. sp.	Peru: Río Nanay	3/2004: 21
C 124 C. sp.	Peru	3/2004: 21
C 125 Aspidoras sp.	Brazil	3/2004: 32
C 126 Corydoras sp. aff. bilineatus	Peru: Río Madre de Dios	4/2004: 36
C 127 C. sp.	Peru: Río Ucayali basin	4/2004: 36
C 128 C. sp.	Brazil: Rio Madeira	6/2004: 22
C 129 C. sp.	Guyana: Rio Tacutu	6/2004: 22
C 130 C. sp. aff. leopardus	Peru: ? Río Huallaga	6/2004: 23
C 131 C. sp. aff. leopardus	Peru: Río Tapiche	6/2004: 23
C 132 C. sp.	Origin unknown	6/2004: 65

S19080-4 C 1 *Corydoras incolicana* BURGESS, 1993
Corydoras "Perreira I"   DATZ 12/1993:755
Brazil: Rio Içana (tributary of Rio Negro), W, 7-8 cm
▷ ♣ ◐ ☺ ⬇ ⬚ ⇌ ➡ ◇ m̄   photo: Erwin Schraml / Archiv A.C.S.

S19080-4 C 1 *Corydoras incolicana* BURGESS, 1993
Corydoras "Perreira I"   DATZ 12/1993:755
Brazil: Rio Içana (tributary of Rio Negro), W, 7-8 cm
▷ ♣ ◐ ☺ ⬚ ⇌ ➡ ◇ m̄   photo: Erwin Schraml / Archiv A.C.S.

S19080-4 C 1 *Corydoras incolicana* BURGESS, 1993
Corydoras "Perreira I"   DATZ 12/1993:755
Brazil: Rio Içana (tributary of Rio Negro), W, 7-8 cm
▷ ♣ ◐ ☺ ⬇ ⬚ ⇌ ➡ ◇ m̄   photo: Erwin Schraml / Archiv A.C.S.

S19080-4 C 1 *Corydoras incolicana* BURGESS, 1993
Corydoras "Perreira I"   DATZ 12/1993:755
Brazil: Rio Içana (tributary of Rio Negro), W, 7-8 cm
▷ ♣ ◐ ☺ ⬇ ⬚ ⇌ ➡ ◇ m̄   photo: Erwin Schraml / Archiv A.C.S.

S19080-4 C 1 *Corydoras incolicana* BURGESS, 1993
Corydoras "Perreira I"   DATZ 12/1993:755
Brazil: Rio Içana (tributary of Rio Negro), W, 7-8 cm
▷ ♣ ◐ ☺ ⬇ ⬚ ⇌ ➡ ◇ m̄   photo: Frank Teigler/ Archiv A.C.S.

S19080-4 C 1 *Corydoras incolicana* BURGESS, 1993
Corydoras "Perreira I"   DATZ 12/1993:755
Brazil: Rio Içana (tributary of Rio Negro), W, 7-8 cm
▷ ♣ ◐ ☺ ⬇ ⬚ ⇌ ➡ ◇ m̄   photo: Frank Teigler/ Archiv A.C.S.

S19080-4 C 1 *Corydoras incolicana* BURGESS, 1993
Corydoras "Perreira I"   DATZ 12/1993:755
Brazil: Rio Içana (tributary of Rio Negro), W, 7-8 cm
▷ ♣ ◐ ☺ ⬇ ⬚ ⇌ ➡ ◇ m̄   photo: Frank Teigler/ Archiv A.C.S.

S19080-4 C 1 *Corydoras incolicana* BURGESS, 1993
Corydoras "Perreira I"   DATZ 12/1993:755
Brazil: Rio Içana (tributary of Rio Negro), W, 7-8 cm
▷ ♣ ◐ ☺ ⬇ ⬚ ⇌ ➡ ◇ m̄   photo: Frank Teigler/ Archiv A.C.S.

S19080-4 C 1 *Corydoras incolicana* Burgess, 1993
Corydoras "Perreira I"   DATZ 12/1993:755
Brazil: Rio Içana (tributary of Rio Negro), W, 7-8 cm
▷ ♫ ◐ ☺ ⬇ ▦ ⇌ ➛ ◈ m̄   photo: Frank Teigler/ Archiv A.C.S.

S19080-4 C 1 *Corydoras incolicana* Burgess, 1993
Corydoras "Perreira I"   DATZ 12/1993:755
Brazil: Rio Içana (tributary of Rio Negro), W, 7-8 cm
▷ ♫ ◐ ☺ ⬇ ▦ ⇌ ➛ ◈ m̄   photo: Frank Teigler/ Archiv A.C.S.

S19650-4 C 2 *Corydoras parallelus* Burgess, 1993
Corydoras "Perreira II"   DATZ 12/1993:755
Brazil: Rio Içana (tributary of Rio Negro), W, 7-8 cm
▷ ♫ ◐ ☺ ⬇ ▦ ⇌ ➛ ◈ m̄   photo: Erwin Schraml / Archiv A.C.S.

S19650-4 C 2 *Corydoras parallelus* Burgess, 1993
Corydoras "Perreira II"   DATZ 12/1993:755
Brazil: Rio Içana (tributary of Rio Negro), W, 7-8 cm
▷ ♫ ◐ ☺ ⬇ ▦ ⇌ ➛ ◈ m̄   photo: Schuzo Nakano / Archiv A.C.S.

S20403-4 C 3 *Corydoras* sp.   DATZ 12/1993:755
Corydoras "Deckeri"
Colombia, W, 5-6 cm
♂ ▷ ♫ ◐ ☺ ⬇ ▦ ⇌ ➛ ◈ m̄   photo: Erwin Schraml / Archiv A.C.S.

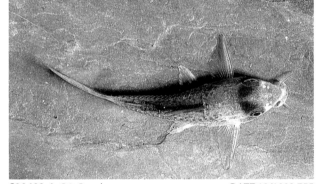

S20403-4 C 3 *Corydoras* sp.   DATZ 12/1993:755
Corydoras "Deckeri"
Colombia, W, 5-6 cm
♂ ▷ ♫ ◐ ☺ ⬇ ▦ ⇌ ➛ ◈ m̄   photo: Erwin Schraml / Archiv A.C.S.

S20403-4 C 3 *Corydoras* sp.   DATZ 12/1993:755
Corydoras "Deckeri"
Colombia, W, 5-6 cm
♀ ▷ ♫ ◐ ☺ ⬇ ▦ ⇌ ➛ ◈ m̄   photo: Erwin Schraml / Archiv A.C.S.

S20403-4 C 3 *Corydoras* sp.   DATZ 12/1993:755
Corydoras "Deckeri"
Colombia, W, 5-6 cm
♀ ▷ ♫ ◐ ☺ ⬇ ▦ ⇌ ➛ ◈ m̄   photo: Erwin Schraml / Archiv A.C.S.

S20403-3 C 3 *Corydoras* sp. DATZ 12/1993:755
Corydoras "Deckeri"
Colombia, W, 5-6 cm
♂ ▷ ⚐ ◑ ☺ ⬇ ⬜ ⇶ ➡ ◇ m̄ <u>photo</u>: Frank Teigler/ Archiv A.C.S.

S20403-3 C 3 *Corydoras* sp. DATZ 12/1993:755
Corydoras "Deckeri"
Colombia, W, 5-6 cm
♀ ▷ ⚐ ◑ ☺ ⬇ ⬜ ⇶ ➡ ◇ m̄ <u>photo</u>: Frank Teigler/ Archiv A.C.S.

S20940-4 C 4 *Corydoras virginiae* BURGESS, 1993
Corydoras "Miguelito" DATZ 12/1993:755
Peru: Río Ucayali, W, 6 cm
▷ ⚐ ◑ ☺ ⬇ ⬜ ⇶ ➡ ◇ m̄ <u>photo</u>: Schuzo Nakano / Archiv A.C.S.

S20403-3 C 3 *Corydoras* sp. DATZ 12/1993:755
Corydoras "Deckeri"
Colombia, W, 5-6 cm
♂ ▷ ⚐ ◑ ☺ ⬇ ⬜ ⇶ ➡ ◇ m̄ <u>photo</u>: Frank Teigler/ Archiv A.C.S.

S20940-4 C 4 *Corydoras virginiae* BURGESS, 1993
Corydoras "Miguelito" DATZ 12/1993:755
Peru: Río Ucayali, W, 6 cm
▷ ⚐ ◑ ☺ ⬇ ⬜ ⇶ ➡ ◇ m̄ <u>photo</u>: Schuzo Nakano / Archiv A.C.S.

S20940-4 C 4 *Corydoras virginiae* BURGESS, 1993
Corydoras "Miguelito" DATZ 12/1993:755
Peru: Río Ucayali, W, 6 cm
▷ ⚐ ◑ ☺ ⬇ ⬜ ⇶ ➡ ◇ m̄ <u>photo</u>: Schuzo Nakano / Archiv A.C.S.

S20405-5 C 5 *Corydoras pantanalensis* KNAACK, 2001
"Corydoras latus" (dies ist eine andere Art / this is a different species)
Brazil: Pantanal, Mato Grosso, W, 10 cm DATZ 12/1993:755
♂ ▷ ⚐ ◑ ☺ ⬇ ⬜ ⇶ ➡ ◇ L̄ <u>photo</u>: Erwin Schraml / Archiv A.C.S.

S20405-5 C 5 *Corydoras pantanalensis* KNAACK, 2001
"Corydoras latus" (dies ist eine andere Art / this is a different species)
Brazil: Pantanal, Mato Grosso, W, 10 cm DATZ 12/1993:755
♀ ▷ ⚐ ◑ ☺ ⬇ ⬜ ⇶ ➡ ◇ L̄ <u>photo</u>: Erwin Schraml / Archiv A.C.S.

S20405-3 C 5 *Corydoras pantanalensis* KNAACK, 2001
"Corydoras latus" (dies ist eine andere Art / this is a different species)
Brazil: Pantanal, Mato Grosso, W, 10 cm   DATZ 12/1993:755
♂ ▷ ♫ ◗ ☺ ⬆ ▦ ⇌ ➡ ◇ ⬓   photo: Frank Teigler / Archiv A.C.S.

S20406-4 C 6 *Corydoras* sp.   DATZ 12/1993:755
Brazil: Rio Guamá near Ourem, W, 5 cm
▷ ♫ ◗ ☺ ⬆ ▦ ⇌ ➡ ◇ ▥   photo: Hans-Georg Evers

S20407-4 C 7 *Corydoras* sp.   DATZ 12/1993:755

Peru (no details available), W, 4 cm

♂ ▷ ♫ ◗ ☺ ⬆ ▦ ⇌ ➡ ◇ ▥   photo: Hans-Georg Evers

S20407-4 C 7 *Corydoras* sp.   DATZ 12/1993:755

Peru (no details available), W, 4 cm
♀ ▷ ♫ ◗ ☺ ⬆ ▦ ⇌ ➡ ◇ ▥   photo: Hans-Georg Evers

S20407-4 C 7 *Corydoras* sp.   DATZ 12/1993:755

Peru (no details available), W, 4 cm

♂ ♀ ▷ ♫ ◗ ☺ ⬆ ▦ ⇌ ➡ ◇ ▥   photo: Hans-Georg Evers

S20408-3 C 8 *Corydoras* sp.   DATZ 12/1993:755

Origin unknown, W, ?6 cm
▷ ♫ ◗ ☺ ⬆ ▦ ⇌ ➡ ◇ ▥   photo: Dietrich Rössel

S20409-4 C 9 *Corydoras* sp.   DATZ 12/1993:755

Peru (no details available), W, 5 cm

▷ ♫ ◗ ☺ ⬆ ▦ ⇌ ➡ ◇ ▥   photo: Hans-Georg Evers

S20410-4 C 10 *Corydoras* sp.   DATZ 12/1993:755

Brazil (no further details availble), W, 6 cm
▷ ♫ ◗ ☺ ⬆ ▦ ⇌ ➡ ◇ ▥   photo: Hans-Georg Evers

S20411-3 C 11 *Corydoras mamore* KNAACK, 2002   DATZ 12/1993:755
"Corydoras geryi" (dies ist eine andere Art / this is a different species)
Bolivia: Río Mamoré, W, 4 cm

<u>photo</u>: Frank Teigler / Archiv A.C.S.

S20411-3 C 11 *Corydoras mamore* KNAACK, 2002   DATZ 12/1993:755
"Corydoras geryi" (dies ist eine andere Art / this is a different species)
Bolivia: Río Mamoré, W, 4 cm

<u>photo</u>: Frank Teigler / Archiv A.C.S.

S20411-4 C 11 *Corydoras mamore* KNAACK, 2002   DATZ 12/1993:755
"Corydoras geryi" (dies ist eine andere Art / this is a different species)
Bolivia: Río Mamoré, W, 4 cm

<u>photo</u>: Schuzo Nakano / Archiv A.C.S.

S20411-5 C 11 *Corydoras mamore* KNAACK, 2002   DATZ 12/1993:755
"Corydoras geryi" (dies ist eine andere Art / this is a different species)
Bolivia: Río Mamoré, W, 4 cm

<u>photo</u>: Erwin Schraml / Archiv A.C.S.

S20412-4 C 12 *Corydoras cruziensis* KNAACK, 2002
DATZ 12/1993:755

Bolivia: Dept. Santa Cruz, W, 4 cm

<u>photo</u>: Hans-Georg Evers

S20413-3 C 13 *Corydoras* sp.   DATZ 12/1993:755

Colombia: (no details available), W, 5 cm

<u>photo</u>: Allen Pinkerton

S20414-4 C 14 *Corydoras* sp.   DATZ 12/1993:755
(= C 72)
Venezuela: Río Caroni, W, 5 cm

<u>photo</u>: Hans-Georg Evers

S20414-4 C 14 *Corydoras* sp.   DATZ 12/1993:755
(= C 72)
Venezuela: Río Caroni, W, 5 cm

<u>photo</u>: Hans-Georg Evers

S20415-4 C 15 *Corydoras lacerdai* Hieronimus, 1995

DATZ 4/1994: 212

Eastern Brazil: Bahia, W, 5 cm

♂ ◁ ‖P ◑ ☺ ⬇⬛ ⬛ ⇌ ➤ ⚠ m̄   photo: Frank Teigler/ Archiv A.C.S.

S20415-4 C 15 *Corydoras lacerdai* Hieronimus, 1995

DATZ 4/1994: 212

Eastern Brazil: Bahia, W, 5 cm

♂ ◁ ‖P ◑ ☺ ⬇⬛ ⬛ ⇌ ➤ ⚠ m̄   photo: Frank Teigler/ Archiv A.C.S.

S20415-4 C 15 *Corydoras lacerdai* Hieronimus, 1995

DATZ 4/1994: 212

Eastern Brazil: Bahia, W, 5 cm

♀ ◁ ‖P ◑ ☺ ⬛⬛ ⬛ ⇌ ➤ ⚠ m̄   photo: Erwin Schraml / Archiv A.C.S.

S20415-4 C 15 *Corydoras lacerdai* Hieronimus, 1995

DATZ 4/1994: 212

Eastern Brazil: Bahia, W, 5 cm

♀ ◁ ‖P ◑ ☺ ⬛⬛ ⬛ ⇌ ➤ ⚠ m̄   photo: Hans J. Mayland / Archiv A.C.S.

S20416-4 C 16 *Corydoras* cf. *simulatus* Weitzman & Nijssen, 1970
"Melini-Longnose"

DATZ 4/1994: 212

Colombia (no further details available), W, 6 cm

▷ ₽ ◑ ☺ ⬛⬛ ⬛ ⇌ ➤ ◇ m̄   photo: Erwin Schraml / Archiv A.C.S.

S20417-4 C 17 *Corydoras stenocephalus* Eigenmann & Kennedy, 1942

DATZ 4/1994: 212

Peru (no further details available), W, 6 cm

▷ ₽ ◑ ☺ ⬛⬛ ⬛ ⇌ ➤ ◇ m̄   photo: Schuzo Nakano / Archiv A.C.S.

S20417-4 C 17 *Corydoras stenocephalus* Eigenmann & Kennedy, 1942

DATZ 4/1994: 212

Peru (no further details available), W, 6 cm

▷ ₽ ◑ ☺ ⬛⬛ ⬛ ⇌ ➤ ◇ m̄   photo: Erwin Schraml / Archiv A.C.S.

S20418-4 C 18 *Corydoras* sp.

DATZ 4/1994: 212

Brazil (no further details available), W, 6 cm

▷ ₽ ◑ ☺ ⬛⬛ ⬛ ⇌ ➤ ◇ m̄   photo: Schuzo Nakano / Archiv A.C.S.

S20418-4 C 18 *Corydoras* sp.   DATZ 4/1994: 212

Brazil (no further details available), W, 6 cm

   **photo:** Schuzo Nakano / Archiv A.C.S.

S20419-4 C 19 *Corydoras* sp.   DATZ 11/1994: 690

Brazil (no further details available), W, 5 cm

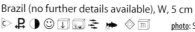   **photo:** Schuzo Nakano / Archiv A.C.S.

S20419-4 C 19 *Corydoras* sp.   DATZ 11/1994: 690

Brazil (no further details available), W, 5 cm

   **photo:** Schuzo Nakano / Archiv A.C.S.

S20420-4 C 20 *Corydoras* cf. *arcuatus* ELWIN, 1939 DATZ 11/1994: 690
"Super-Arcuatus"
Brazil: Rondônia, Humaita, W, 6 cm

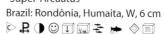   **photo:** Hans J. Mayland / Archiv A.C.S.

S20420-2 C 20 *Corydoras* cf. *arcuatus* ELWIN, 1939 DATZ 11/1994: 690
"Super-Arcuatus"
Brazil: Rondônia, Humaita, W, 6 cm

   photo: Hans-Georg Evers

S20421-4 C 21 *Corydoras* sp.   DATZ 12/1994: 755

Brazil: Rio Xingú, W, 5-6 cm

   **photo:** Erwin Schraml / Archiv A.C.S.

S20422-4 C 22 *Corydoras cochui* MYERS & WEITZMAN, 1954

Brazil: Rio Xingú, Rio Araguaia (=type locality) W, 3-4 cm

   photo: Schuzo Nakano / Archiv A.C.S.

S20422-4 C 22 *Corydoras cochui* MYERS & WEITZMAN, 1954

Brazil: Rio Xingú, Rio Araguaia (=type locality) W, 3-4 cm

   photo: Frank Teigler/ Archiv A.C.S.

S20422-4 C 22 *Corydoras cochui* MYERS & WEITZMAN, 1954

Brazil: Rio Xingú, Rio Araguaia (=type locality) W, 3-4 cm

♂ ⚠ ⚐ ◐ ☺ ⬇ ▧ ⇌ 🐟 ◇ m̄   photo: Hans-Georg Evers

S20422-4 C 22 *Corydoras cochui* MYERS & WEITZMAN, 1954

Brazil: Rio Xingú, Rio Araguaia (=type locality) W, 3-4 cm

♀ ⚠ ⚐ ◐ ☺ ⬇ ▧ ⇌ 🐟 ◇ m̄   photo: Hans-Georg Evers

S20423-4 C 23 *Corydoras sarareensis* DINKELMEYER, 1995
                                                    DATZ 12/1994:755

Brazil: Rondônia, Rio Sarare, W, 6 cm

▷ ⚐ ◐ ☺ ⬇ ▧ ⇌ 🐜 ◇ m̄   photo: Hans J. Mayland / Archiv A.C.S.

S20423-4 C 23 *Corydoras sarareensis* DINKELMEYER, 1995
                                                    DATZ 12/1994:755

Brazil: Rondônia, Rio Sarare, W, 6 cm

▷ ⚐ ◐ ☺ ⬇ ▧ ⇌ 🐜 ◇ m̄   photo: Hans J. Mayland / Archiv A.C.S.

S20423-4 C 23 *Corydoras sarareensis* DINKELMEYER, 1995
                                                    DATZ 12/1994:755

Brazil: Rondônia, Rio Sarare, W, 6 cm

▷ ⚐ ◐ ☺ ⬇ ▧ ⇌ 🐟 ◇ m̄   photo: Erwin Schraml / Archiv A.C.S.

S20423-4 C 23 *Corydoras sarareensis* DINKELMEYER, 1995
                                                    DATZ 12/1994:755

Brazil: Rondônia, Rio Sarare, W, 6 cm

▷ ⚐ ◐ ☺ ⬇ ▧ ⇌ 🐟 ◇ m̄   photo: Schuzo Nakano / Archiv A.C.S.

S20423-4 C 23 *Corydoras sarareensis* DINKELMEYER, 1995
                                                    DATZ 12/1994:755

Brazil: Rondônia, Rio Sarare, W, 6 cm

▷ ⚐ ◐ ☺ ⬇ ▧ ⇌ 🐟 ◇ m̄   photo: Schuzo Nakano / Archiv A.C.S.

S20423-4 C 23 *Corydoras sarareensis* DINKELMEYER, 1995
                                                    DATZ 12/1994:755

Brazil: Rondônia, Rio Sarare, W, 6 cm

▷ ⚐ ◐ ☺ ⬇ ▧ ⇌ 🐟 ◇ m̄   photo: Schuzo Nakano / Archiv A.C.S.

S20424-4 C 24 *Corydoras* cf. *acutus* COPE, 1872

DATZ 12/1994:755

Brazil: Rio Guamá, W, 7 cm

 photo: Hans-Georg Evers

S20424-4 C 24 *Corydoras* cf. *acutus* COPE, 1872

DATZ 12/1994:755

Brazil: Rio Guamá, W, 7 cm

 photo: Schuzo Nakano / Archiv A.C.S.

S20425-4 C 25 *Corydoras pinheiroi* DINKELMEYER, 1995

DATZ 1/1995: 9

Brazil: Rondônia, W, 6 cm

 photo: Erwin Schraml / Archiv A.C.S.

S20425-4 C 25 *Corydoras pinheiroi* DINKELMEYER, 1995

DATZ 1/1995: 9

Brazil: Rondônia, W, 6 cm

photo: Erwin Schraml / Archiv A.C.S.

S20426-4 C 26 *Corydoras kanei* GRANT, 1997   DATZ 1/1995: 9
(= C 46)

Brazil: Rondônia, Rio Branco, W, 5 cm

photo: Hans J. Mayland / Archiv A.C.S.

S20426-4 C 26 *Corydoras kanei* GRANT, 1997   DATZ 1/1995: 9
(= C 46)

Brazil: Rondônia, Rio Branco, W, 5 cm

photo: Hans J. Mayland / Archiv A.C.S.

S20426-4 C 26 *Corydoras kanei* GRANT, 1997   DATZ 1/1995: 9
(= C 46)

Brazil: Rondônia, Rio Branco, W, 5 cm

photo: Hans-Georg Evers

S20427-3 C 27 *Corydoras seussi* DINKELMEYER, 1995

DATZ 2/1995:73

Brazil: Rondônia, W, B, 6 cm

photo: Frank Teigler/ Archiv A.C.S.

S20428-4 C 28 *Corydoras* cf. *cervinus* RÖSSEL, 1962

DATZ 4/1995:260

Brazil: Rondônia, Mato Grosso, W, 8 cm

photo: Schuzo Nakano / Archiv A.C.S.

S20429-4 C 29 *Corydoras* sp.

DATZ 4/1995:260

Brazil: Amapá, W, 8 cm

photo: Schuzo Nakano / Archiv A.C.S.

S20430-4 C 30 *Corydoras* cf. *brevirostris* FRASER-BRUNNER, 1947

DATZ 4/1995:260

Brazil: Amapá, W, 5 cm

photo: Frank Teigler/ Archiv A.C.S.

S20430-4 C 30 *Corydoras* cf. *brevirostris* FRASER-BRUNNER, 1947

DATZ 4/1995:260

Brazil: Amapá, W, 5 cm

photo: Frank Teigler/ Archiv A.C.S.

S20430-4 C 30 *Corydoras* cf. *brevirostris* FRASER-BRUNNER, 1947

DATZ 4/1995:260

Brazil: Amapá, W, 5 cm

photo: Erwin Schraml / Archiv A.C.S.

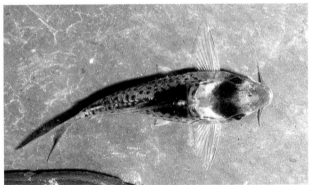

S20430-4 C 30 *Corydoras* cf. *brevirostris* FRASER-BRUNNER, 1947

DATZ 4/1995:260

Brazil: Amapá, W, 5 cm

photo: Erwin Schraml / Archiv A.C.S.

S20431-4 C 31 *Corydoras bondi* GOSLINE, 1940   DATZ 8/1995: 481

Brazil: Roraima, Rio Branco, W, 5 cm

photo: Frank Schäfer

S20431-4 C 31 *Corydoras bondi* GOSLINE, 1940   DATZ 8/1995: 481

Brazil: Roraima, Rio Branco, W, 5 cm

photo: Frank Schäfer

S20432-4 C 32 *Corydoras blochi* Nijssen, 1971   DATZ 8/1995:481

Brazil: Roraima, Rio Tacutu, W, 6 cm
▷ ₽ ◑ ☺ ⬇ 🔲 ⇌ ➡ ◇ m   photo: Frank Teigler/ Archiv A.C.S.

S20432-4 C 32 *Corydoras blochi* Nijssen, 1971   DATZ 8/1995:481

Brazil: Roraima, Rio Tacutu, W, 6 cm
♂ ▷ ₽ ◑ ☺ ⬇ 🔲 ⇌ ➡ ◇ m   photo: Frank Schäfer

S20432-4 C 32 *Corydoras blochi* Nijssen, 1971   DATZ 8/1995:481

Brazil: Roraima, Rio Tacutu, W, 6 cm
♂ ▷ ₽ ◑ ☺ ⬇ 🔲 ⇌ ➡ ◇ m   photo: Frank Schäfer

S20433-4 C 33 *Corydoras* sp.   DATZ 8/1995: 481

Brazil: Roraima, W, 5 cm
▷ ₽ ◑ ☺ ⬇ 🔲 ⇌ ➡ ◇ m   photo: Hans-Georg Evers

S20434-4 C 34 *Corydoras* cf. *melanistius* Regan, 1912
DATZ 8/1995: 481

Brazil: Roraima, W, 6 cm
♂ ▷ ₽ ◑ ☺ ⬇ 🔲 ⇌ ➡ ◇ m   photo: Erwin Schraml / Archiv A.C.S.

S20434-4 C 34 *Corydoras* cf. *melanistius* Regan, 1912
DATZ 8/1995: 481

Brazil: Roraima, W, 6 cm
♀ ▷ ₽ ◑ ☺ ⬇ 🔲 ⇌ ➡ ◇ m   photo: Erwin Schraml / Archiv A.C.S.

S20435-5 C 35 *Aspidoras* sp. "Black Phantom" DATZ 10/1995: 617

Brazil: Goiás, Rio Araguaia, W, B, 4,5 cm
♂ ♀ ▷ ₽ ◑ ☺ ⬇ 🔲 ⇌ ➡ ◇ m   photo: Hans-Georg Evers

S20435-4 C 35 *Aspidoras* sp. "Black Phantom" DATZ 10/1995: 617

Brazil: Goiás, Rio Araguaia, W, B, 4,5 cm
♀ ▷ ₽ ◑ ☺ ⬇ 🔲 ⇌ ➡ ◇ m   photo: Schuzo Nakano / Archiv A.C.S.

S20436-4 C 36 *Aspidoras* sp.   DATZ 10/1995: 617

Brazil: Goiás, Rio Araguaia, W, B, 4,5 cm

♂ ▷ ♬ ◑ ☺ ⬇ ⬜ ⇌ ➡ ◈ 🎞   <u>photo</u>: Hans-Georg Evers

S20437-4 C 37 *Aspidoras* sp.   DATZ 10/1995: 617

Brazil: Goiás, Rio Tesouras (tributary of Rio Peixe), W, 4 cm

▷ ♬ ◑ ☺ ⬇ ⬜ ⇌ ➡ ◈ 🎞   <u>photo</u>: Hans-Georg Evers

S20438-4 C 38 *Corydoras* sp.   DATZ 3/1996: 172
(= C 29)

Brazil (no further data available), W, 8 cm

▷ ♬ ◑ ☺ ⬇ ⬜ ⇌ ➡ ◈ 🎞   <u>photo</u>: Schuzo Nakano / Archiv A.C.S.

S20439-4 C 39 *Corydoras* sp.   DATZ 3/1996: 172

Brazil: upper Rio Negro, W, 6 cm

▷ ♬ ◑ ☺ ⬇ ⬜ ⇌ ➡ ◈ 🎞   <u>photo</u>: Hans-Georg Evers

S20439-4 C 39 *Corydoras* sp.   DATZ 3/1996: 172

Brazil: upper Rio Negro, W, 6 cm

▷ ♬ ◑ ☺ ⬇ ⬜ ⇌ ➡ ◈ 🎞   <u>photo</u>: Erwin Schraml / Archiv A.C.S.

S20440-4 C 40 *Corydoras* sp. aff. *griseus* HOLLY, 1940
                    DATZ 3/1996: 172

Brazil: Rondônia, W, 4 cm

▷ ♬ ◑ ☺ ⬇ ⬜ ⇌ ➡ ◈ 🎞   <u>photo</u>: Erwin Schraml / Archiv A.C.S.

S20441-4 C 41 *Corydoras* sp.   DATZ 3/1996: 172

Brazil: Rondônia, W, 4 cm

▷ ♬ ◑ ☺ ⬇ ⬜ ⇌ ➡ ◈ 🎞   <u>photo</u>: Hans-Georg Evers

S20441-4 C 41 *Corydoras* sp.   DATZ 3/1996: 172

Brazil: Rondônia, W, 4 cm

♂ ▷ ♬ ◑ ☺ ⬇ ⬜ ⇌ ➡ ◈ 🎞   <u>photo</u>: Frank Teigler / Archiv A.C.S.

S20441-4 C 41 *Corydoras* sp.   DATZ 3/1996: 172

Brazil: Rondônia, W, 4 cm

♀ ▷ ⏏ ◑ ☺ ⬇ 🔲 ⇌ ➤ ◇ m   <u>photo</u>: Frank Teigler / Archiv A.C.S.

S20442-4 C 42 *Corydoras* sp. "Kristinae"   DATZ 3/1996: 172

Brazil: Rondônia, W, 8 cm

▷ ⏏ ◑ ☺ ⬇ 🔲 ⇌ ➤ ◇ m   <u>photo</u>: Erwin Schraml / Archiv A.C.S.

S20442-4 C 42 *Corydoras* sp. "Kristinae"   DATZ 3/1996: 172

Brazil: Rondônia, W, 8 cm

▷ ⏏ ◑ ☺ ⬇ 🔲 ⇌ ➤ ◇ m   <u>photo</u>: Erwin Schraml / Archiv A.C.S.

S20442-4 C 42 *Corydoras* sp. "Kristinae"   DATZ 3/1996: 172

Brazil: Rondônia, W, 8 cm

▷ ⏏ ◑ ☺ ⬇ 🔲 ⇌ ➤ ◇ m   <u>photo</u>: Erwin Schraml / Archiv A.C.S.

S20443-4 C 43 *Corydoras* sp.   DATZ 3/1996: 173

Brazil: Rondônia, W, 5 cm

▷ ⏏ ◑ ☺ ⬇ 🔲 ⇌ ➤ ◇ m   <u>photo</u>: Hans-Georg Evers

S20444-2 C 44 *Corydoras* sp.   DATZ 3/1996: 173
(= juvenile of C 43)
Brazil: Rondônia, W, 5 cm

▷ ⏏ ◑ ☺ ⬇ 🔲 ⇌ ➤ ◇ m   <u>photo</u>: Hans-Georg Evers

S20444-3 C 44 *Corydoras* sp.   DATZ 3/1996: 173
(= juvenile of C 43)
Brazil: Rondônia, W, 5 cm

▷ ⏏ ◑ ☺ ⬇ 🔲 ⇌ ➤ ◇ m   <u>photo</u>: Hans-Georg Evers

S20445-4 C 45 *Corydoras* cf. *araguaiensis* SANDS, 1990
"Araguaiensis Big Spot"   DATZ 3/1996: 173
Brazil: Mato Grosso, Rio Cristalino, W, 5,5 cm

♂ ▷ ⏏ ◑ ☺ ⬇ 🔲 ⇌ ➤ ◇ m   <u>photo</u>: Frank Teigler / Archiv A.C.S.

S20445-4 C 45 *Corydoras* cf. *araguaiensis* SANDS, 1990
"Araguaiensis Big Spot"   DATZ 3/1996: 173
Brazil: Mato Grosso, Rio Cristalino, W, 5,5 cm
♀ ▷ ♫ ◑ ☺ ⬆ ⬇ ⛏ ➤ ◈ m   photo: Frank Teigler / Archiv A.C.S.

S20446-4 C 46 *Corydoras kanei* GRANT, 1997   DATZ 3/1996: 173
(= C 26)
Brazil: Rio Branco, W, 5 cm
▷ ♫ ◑ ☺ ⬇ ⛏ ➤ ◈ m   photo: Erwin Schraml / Archiv A.C.S.

S20447-4 C 47 *Corydoras* sp.   DATZ 4/1996: 210

Brazil: Pará, Rio Guamá, W, 6 cm
▷ ♫ ◑ ☺ ⬇ ⛏ ➤ ◈ m   photo: Rainer Stawikowski

S20448-4 C 48 *Corydoras* sp.   DATZ 4/1996: 210

Brazil: Pará, Rio Guamá, W, 5 cm
▷ ♫ ◑ ☺ ⬇ ⛏ ➤ ◈ m   photo: Rainer Stawikowski

S20449-4 C 49 *Corydoras* sp. "Falso Robustus"   DATZ 7/1996: 414

Brazil: Rondônia, W, 6 cm
▷ ♫ ◑ ☺ ⬇ ⛏ ➤ ◈ m   photo: Hans-Georg Evers

S20450-4 C 50 *Corydoras* sp.   DATZ 7/1996: 415

Brazil: Rondônia, W, 6 cm
▷ ♫ ◑ ☺ ⬇ ⛏ ➤ ◈ m   photo: Erwin Schraml / Archiv A.C.S.

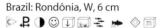

S20450-4 C 50 *Corydoras* sp.   DATZ 7/1996: 415

Brazil: Rondônia, W, 6 cm
▷ ♫ ◑ ☺ ⬇ ⛏ ➤ ◈ m   photo: Erwin Schraml / Archiv A.C.S.

S20451-4 C 51 *Corydoras* sp.   DATZ 7/1996: 414

Brazil (no further data available), W, 6 cm
▷ ♫ ◑ ☺ ⬇ ⛏ ➤ ◈ m   photo: Frank Schäfer

S20452-4 C 52 *Corydoras* sp.   DATZ 11/1996: 686

Peru, W, 8 cm
▷ 🄿 ◐ ☺ ⬇ 🔲 ⇶ ➡ ◇ 🔲   photo: Schuzo Nakano / Archiv A.C.S.

S20452-4 C 52 *Corydoras* sp.   DATZ 11/1996: 686

Peru, W, 8 cm
▷ 🄿 ◐ ☺ ⬇ 🔲 ⇶ ➡ ◇ 🔲   photo: Frank Schäfer

S20453-4 C 53 *Corydoras* sp.   DATZ 11/1996: 686
 "Sychri-Longnose"
Peru, W, 6 cm
▷ 🄿 ◐ ☺ ⬇ 🔲 ⇶ ➡ ◇ 🔲   photo: Schuzo Nakano / Archiv A.C.S.

S20453-4 C 53 *Corydoras* sp.   DATZ 11/1996: 686
 "Sychri-Longnose"
Peru, W, 6 cm
▷ 🄿 ◐ ☺ ⬇ 🔲 ⇶ ➡ ◇ 🔲   photo: Hans-Georg Evers

S20454-4 C 54 *Corydoras* sp.   DATZ 11/1996: 686

Brazil: Rio Tocantins, W, 5 cm
▷ 🄿 ◐ ☺ ⬇ 🔲 ⇶ ➡ ◇ 🔲   photo: Hans-Georg Evers

S20455-4 C 55 *Corydoras xinguensis* NIJSSEN, 1972
(= C 105, C106, C107, C108)   DATZ 11/1996: 686
Brazil: Rio Xingú, W, 5 cm
♂ ▷ 🄿 ◐ ☺ ⬇ 🔲 ⇶ ➡ ◇ 🔲   photo: Erwin Schraml / Archiv A.C.S.

S20455-4 C 55 *Corydoras xinguensis* NIJSSEN, 1972
(= C 105, C106, C107, C108)   DATZ 11/1996: 686
Brazil: Rio Xingú, W, 5 cm
♀ ▷ 🄿 ◐ ☺ ⬇ 🔲 ⇶ ➡ ◇ 🔲   photo: Erwin Schraml / Archiv A.C.S.

S20456-4 C 56 *Corydoras* sp.   DATZ 11/1996: 686
This fish is known as *C. xinguensis* in the hobby
Brazil: Rio Guaporé, W, 4 cm
▷ 🄿 ◐ ☺ ⬇ 🔲 ⇶ ➡ ◇ 🔲   photo: Frank Teigler / Archiv A.C.S.

S20456-4 C 56 *Corydoras* sp.   DATZ 11/1996: 686

This fish is known as *C. xinguensis* in the hobby

Brazil: Rio Guaporé, W, 4 cm

♂ ▷ 🛏 ◑ ☺ ⬇ 🖼 ⇌ ➡ ◇ Ⓜ   **photo:** Erwin Schraml / Archiv A.C.S.

S20456-4 C 56 *Corydoras* sp.   DATZ 11/1996: 686

This fish is known as *C. xinguensis* in the hobby

Brazil: Rio Guaporé, W, 4 cm

♀ ▷ 🛏 ◑ ☺ ⬇ 🖼 ⇌ ➡ ◇ Ⓜ   **photo:** Erwin Schraml / Archiv A.C.S.

S20456-4 C 56 *Corydoras* sp.   DATZ 11/1996: 686

This fish is known as *C. xinguensis* in the hobby

Brazil: Rio Guaporé, W, 4 cm

♂ ♀ ▷ 🛏 ◑ ☺ ⬇ 🖼 ⇌ ➡ ◇ Ⓜ   **photo:** Erwin Schraml / Archiv A.C.S.

S20456-4 C 56 *Corydoras* sp.   DATZ 11/1996: 686

This fish is known as *C. xinguensis* in the hobby

Brazil: Rio Guaporé, W, 4 cm

♂ ♀ ▷ 🛏 ◑ ☺ ⬇ 🖼 ⇌ ➡ ◇ Ⓜ   **photo:** Erwin Schraml / Archiv A.C.S.

S20457-4 C 57 *Corydoras* sp.   DATZ 3/1997: 145

Brazil: Pernambuco, Recife, W, 5 cm

▷ 🛏 ◑ ☺ ⬇ 🖼 ⇌ ➡ ◇ Ⓜ   **photo:** Dieter Bork / Archiv A.C.S.

S20457-4 C 57 *Corydoras* sp.   DATZ 3/1997: 145

Brazil: Pernambuco, Recife, W, 5 cm

▷ 🛏 ◑ ☺ ⬇ 🖼 ⇌ ➡ ◇ Ⓜ   **photo:** Dieter Bork / Archiv A.C.S.

S20457-4 C 57 *Corydoras* sp.   DATZ 3/1997: 145

Brazil: Pernambuco, Recife, W, 5 cm

▷ 🛏 ◑ ☺ ⬇ 🖼 ⇌ ➡ ◇ Ⓜ   **photo:** Erwin Schraml / Archiv A.C.S.

S20458-4 C 58 *Corydoras* cf. *haraldschultzi* KNAACK, 1961

       DATZ 8/1997: 491

Brazil: Rondônia, W, 7 cm

▷ 🛏 ◑ ☺ ⬇ 🖼 ⇌ ➡ ◇ Ⓜ   **photo:** Erwin Schraml / Archiv A.C.S.

S20459-4 C 59 *Corydoras multimaculatus* STEINDACHNER, 1907
DATZ 8/1997: 492

Brazil: Bahia, W, 5 cm

▷ 凡 ◑ ☺ ⏏ 🖼 ⇌ ➥ ◇ 🖽   photo: Hans-Georg Evers

S20460-4 C 60 *Corydoras osteocarus* BÖHLKE, 1951   DATZ 1/1998: 6

Venezuela, W, 4 cm

▷ 凡 ◑ ☺ ⏏ 🖼 ⇌ ➥ ◇ 🖽   photo: Erwin Schraml / Archiv A.C.S.

S20461-4 C 61 *Corydoras* sp.   DATZ 1/1998: 7
(see also C 29 & C 38)
Venezuela: Río Chaviripa, W, 6 cm

▷ 凡 ◑ ☺ ⏏ 🖼 ⇌ ➥ ◇ 🖽   photo: Schuzo Nakano / Archiv A.C.S.

S20462-4 C 62 *Corydoras* cf. *brevirostris* FRASER-BRUNNER, 1947
DATZ 3/1998:145

Brazil: Pará, Rio Tocantins, near Tucuri, W, 5 cm

▷ 凡 ◑ ☺ ⏏ 🖼 ⇌ ➥ ◇ 🖽   photo: Hans-Georg Evers

S20462-4 C 62 *Corydoras* cf. *brevirostris* FRASER-BRUNNER, 1947
DATZ 3/1998:145

Brazil: Pará, Rio Tocantins, near Tucuri, W, 5 cm

▷ 凡 ◑ ☺ ⏏ 🖼 ⇌ ➥ ◇ 🖽   photo: Hans-Georg Evers

S20463-4 C 63 *Corydoras* sp.   DATZ 3/1998:145
see also C 47
Brazil: Pará, Rio Tocantins, near Tucuri, W, 7 cm

▷ 凡 ◑ ☺ ⏏ 🖼 ⇌ ➥ ◇ 🖽   photo: Hans-Georg Evers

S20464-5 C 64 *Corydoras tukano* BRITTO & LIMA, 2003
DATZ 4/1998: 210

Brazil: Rio Tiquié, upper Rio Negro basin, W, 5 cm

♂ ▷ 凡 ◑ ☺ ⏏ 🖼 ⇌ ➥ ◇ 🖽   photo: Dieter Bork / Archiv A.C.S.

S20464-5 C 64 *Corydoras tukano* BRITTO & LIMA, 2003
DATZ 4/1998: 210

Brazil: Rio Tiquié, upper Rio Negro basin, W, 5 cm

♂ ♀ ▷ 凡 ◑ ☺ ⏏ 🖼 ⇌ ➥ ◇ 🖽   photo: Dieter Bork / Archiv A.C.S.

S20464-3 C 64 *Corydoras tukano* BRITTO & LIMA, 2003
DATZ 4/1998: 210
Brazil: Rio Tiquié, upper Rio Negro basin, W, 5 cm

photo: Erwin Schraml / Archiv A.C.S.

S20465-4 C 65 *Corydoras* sp. "Guarana"
DATZ 9/1998: 604; 2/2002:14
Brazil: Rio Araguaia, W, B, 5 cm

photo: Hans-Georg Evers

S20467-4 C 67 *Corydoras* sp.
DATZ 1/2001:58
Brazil: Bahia, Guanambi, W, 5 cm

photo: Erwin Schraml / Archiv A.C.S.

S20468-3 C 68 *Corydoras* sp.
DATZ 2/2000: 16
"Big Spot Araguaiensis Longnose"
Brazil: Mato Grosso, Rio Cristalino, W, 7 cm

photo: Frank Teigler/Archiv A.C.S.

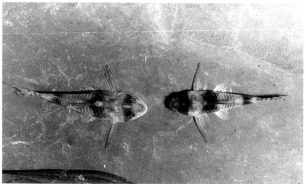

S20464-5 C 64 *Corydoras tukano* BRITTO & LIMA, 2003
DATZ 4/1998: 210
Brazil: Rio Tiquié, upper Rio Negro basin, W, 5 cm

photo: Erwin Schraml / Archiv A.C.S.

S20466-4 C 66 *Corydoras* sp.
DATZ 1/1999: 7
Brazil: Rio Branco drainage, Rio Acre, W, 6 cm

photo: Hans-Georg Evers

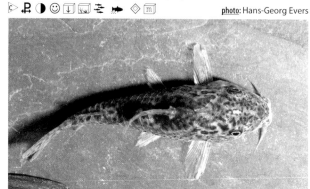

S20467-4 C 67 *Corydoras* sp.
DATZ 1/2001:58
Brazil: Bahia, Guanambi, W, 5 cm

photo: Erwin Schraml / Archiv A.C.S.

S20468-4 C 68 *Corydoras* sp.
DATZ 2/2000: 16
"Big Spot Araguaiensis Longnose"
Brazil: Mato Grosso, Rio Cristalino, W, 7 cm

photo: Erwin Schraml / Archiv A.C.S.

© Verlag A.C.S. GmbH

S20468-4 C 68 *Corydoras* sp. DATZ 2/2000: 16
"Big Spot Araguaiensis Longnose"
Brazil: Mato Grosso, Rio Cristalino, W, 7 cm
 photo: Erwin Schraml / Archiv A.C.S.

S20469-4 C 69 *Corydoras maculifer* NIJSSEN & ISBRÜCKER, 1971
DATZ 2/2000:17
Brazil: Rio Araguaia, Ilha do Bananal, W, 7 cm
 photo: Erwin Schraml / Archiv A.C.S.

S20469-4 C 69 *Corydoras maculifer* NIJSSEN & ISBRÜCKER, 1971
DATZ 2/2000:17
Brazil: Rio Araguaia, Ilha do Bananal, W, 7 cm
 photo: Erwin Schraml / Archiv A.C.S.

S20470-4 C 70 *Corydoras areio* KNAACK, 2000 DATZ 2/2000: 58
Brazil: upper Paraguay River basin, São Lourenco, Mato Grosso, W, 5 cm
photo: Frank Schäfer

S20471-4 C 71 *Corydoras* sp. DATZ 3/2000: 6

Brazil: Pará, Rio Aruá, W, 6 cm
photo: Frank Schäfer

S20471-4 C 71 *Corydoras* sp. DATZ 3/2000: 6

Brazil: Pará, Rio Aruá, W, 6 cm
 photo: Frank Schäfer

S20471-4 C 71 *Corydoras* sp. DATZ 3/2000: 6

Brazil: Pará, Rio Aruá, W, 6 cm
photo: Erwin Schraml / Archiv A.C.S.

S20471-4 C 71 *Corydoras* sp. DATZ 3/2000: 6

Brazil: Pará, Rio Aruá, W, 6 cm
photo: Erwin Schraml / Archiv A.C.S.

S20472-4 C 72 *Corydoras* sp. DATZ 3/2000: 6

(= C 14)

Venezuela: Río Caura, W, 4 - 5 cm

♂ ▷ ♫ ◑ ☺ ↓ ▨ ⇌ ➡ ◇ ⓜ

photo: Hans-Georg Evers

S20473-4 C 73 *Corydoras* sp. aff. *griseus* DATZ 10/2001: 32

"Linha de Ouro" **note**: C73 was given twice by the DATZ; 1st C73 is now C102

Brazil: Rio Jaciparana (Rio Madeira drainage), W, 4-5 cm

▷ ♫ ◑ ☺ ↓ ▨ ⇌ ➡ ◇ ⓜ

photo: Hans-Georg Evers

S20474-4 C 74 *Corydoras* sp., Var. I DATZ 10/2001: 32

note: C74 was given twice by the DATZ; 1st C74 is now C103

Brazil: Rio Madeira drainage, W, 5 cm

▷ ♫ ◑ ☺ ↓ ▨ ⇌ ➡ ◇ ⓜ

photo: Hans-Georg Evers

S20474-4 C 74 *Corydoras* sp., Var. II DATZ 10/2001: 32

note: C74 was given twice by the DATZ; 1st C74 is now C103

Brazil: Rio Madeira drainage, W, 5 cm

▷ ♫ ◑ ☺ ↓ ▨ ⇌ ➡ ◇ ⓜ

photo: Hans-Georg Evers

S20475-4 C 75 *Corydoras* sp. DATZ 10/2001: 33

note: C75 was given twice by the DATZ; 1st C75 is now C104

Brazil: Rio Madeira drainage, W, 5 cm

▷ ♫ ◑ ☺ ↓ ▨ ⇌ ➡ ◇ ⓜ

photo: Erwin Schraml / Archiv A.C.S.

S20476-3 C 76 *Corydoras* sp. DATZ 10/2001: 33

Brazil: Rio Madeira drainage, W, 3 cm

▷ ♫ ◑ ☺ ↓ ▨ ⇌ ➡ ◇ ⓜ

photo: Hans-Georg Evers

S20477-4 C 77 *Corydoras* sp. DATZ 10/2001: 33

Brazil: Rio Madeira drainage, W, 6 cm

▷ ♫ ◑ ☺ ↓ ▨ ⇌ ➡ ◇ ⓜ

photo: Hans-Georg Evers

S20477-4 C 77 *Corydoras* sp. DATZ 10/2001: 33

Brazil: Rio Madeira drainage, W, 6 cm

▷ ♫ ◑ ☺ ↓ ▨ ⇌ ➡ ◇ ⓜ

photo: Schuzo Nakano/Archiv A.C.S.

S20478-4 C 078 *Corydoras* sp.　　　　　　　　DATZ 10/2001:33
Population from Rio Acre
Brazil: Rio Purus drainage; Peru: Río Madre de Dios, W, 6 cm

photo: Hans-Georg Evers

S20478-4 C 078 *Corydoras* sp.　　　　　　　　DATZ 10/2001:33

Brazil: Rio Purus drainage; Peru: Río Madre de Dios, W, 6 cm

photo: Schuzo Nakano/Archiv A.C.S.

S20480-4 C 80 *Corydoras* sp.　　　　　　　　DATZ 12/2001: 2
(= C 10)
Brazil (no further details availble), W, 6 cm

photo: Hans-Georg Evers

S20481-5 C 81 *Corydoras* cf. *sodalis* Nijssen & Isbrücker, 1986
　　　　　　　　　　　　　　　　　　　　DATZ 8/2002: 35
Brazil: Humaita, W, 6 cm

photo: Erwin Schraml / Archiv A.C.S.

S20478-4 C 078 *Corydoras* sp.　　　　　　　　DATZ 10/2001:33
Population from Río Madre de Dios
Brazil: Rio Purus drainage; Peru: Río Madre de Dios, W, 6 cm

photo: Hans-Georg Evers

S20479-4 C 79 *Corydoras* cf. *loxozonus* Nijssen & Isbrücker, 1983
(= C 83)　　　　　　　　　　　　　　　DATZ 12/2001: 2
Colombia, W, 5cm

photo: Erwin Schraml / Archiv A.C.S.

S20481-3 C 81 *Corydoras* cf. *sodalis* Nijssen & Isbrücker, 1986
　　　　　　　　　　　　　　　　　　　　DATZ 8/2002: 35
Brazil: Humaita, W, 6 cm

photo: Erwin Schraml / Archiv A.C.S.

S20481-5 C 81 *Corydoras* cf. *sodalis* Nijssen & Isbrücker, 1986
　　　　　　　　　　　　　　　　　　　　DATZ 8/2002: 35
Brazil: Humaita, W, 6 cm

photo: Erwin Schraml / Archiv A.C.S.

S20481-4 C 81 *Corydoras* cf. *sodalis* Nijssen & Isbrücker, 1986
DATZ 8/2002: 35

Brazil: Humaita, W, 6 cm

♂ ▷ ♬ ◐ ☺ ⬇ ▨ ⇌ 🐟 ◇ ▥   <u>photo:</u> Erwin Schraml / Archiv A.C.S.

S20481-4 C 81 *Corydoras* cf. *sodalis* Nijssen & Isbrücker, 1986
DATZ 8/2002: 35

Brazil: Humaita, W, 6 cm

♂ ▷ ♬ ◐ ☺ ⬇ ▨ ⇌ 🐟 ◇ ▥   <u>photo:</u> Erwin Schraml / Archiv A.C.S.

S20481-4 C 81 *Corydoras* cf. *sodalis* Nijssen & Isbrücker, 1986
DATZ 8/2002: 35

Brazil: Humaita, W, 6 cm

♀ ▷ ♬ ◐ ☺ ⬇ ▨ ⇌ 🐟 ◇ ▥   <u>photo:</u> Erwin Schraml / Archiv A.C.S.

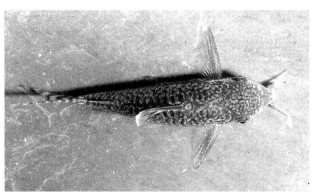

S20481-4 C 81 *Corydoras* cf. *sodalis* Nijssen & Isbrücker, 1986
DATZ 8/2002: 35

Brazil: Humaita, W, 6 cm

♀ ▷ ♬ ◐ ☺ ⬇ ▨ ⇌ 🐟 ◇ ▥   <u>photo:</u> Erwin Schraml / Archiv A.C.S.

S20482-4 C 82 *Corydoras loxozonus* Nijssen & Isbrücker, 1983
DATZ 8/2002: 35

Colombia, W, 6 cm

▷ ♬ ◐ ☺ ⬇ ▨ ⇌ 🐟 ◇ ▥   <u>photo:</u> Erwin Schraml / Archiv A.C.S.

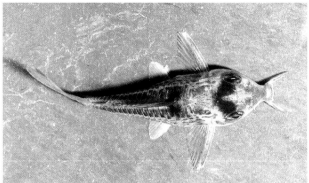

S20482-4 C 82 *Corydoras loxozonus* Nijssen & Isbrücker, 1983
DATZ 8/2002: 35

Colombia, W, 6 cm

▷ ♬ ◐ ☺ ⬇ ▨ ⇌ 🐟 ◇ ▥   <u>photo:</u> Erwin Schraml / Archiv A.C.S.

S20482-4 C 82 *Corydoras loxozonus* Nijssen & Isbrücker, 1983
DATZ 8/2002: 35

Colombia, W, 6 cm

♂ ▷ ♬ ◐ ☺ ⬇ ▨ ⇌ 🐟 ◇ ▥   <u>photo:</u> Erwin Schraml / Archiv A.C.S.

S20482-4 C 82 *Corydoras loxozonus* Nijssen & Isbrücker, 1983
DATZ 8/2002: 35

Colombia, W, 6 cm

♂ ▷ ♬ ◐ ☺ ⬇ ▨ ⇌ 🐟 ◇ ▥   <u>photo:</u> Erwin Schraml / Archiv A.C.S.

S20482-4 C 82 *Corydoras loxozonus* Nɪᴊssᴇɴ & Isʙʀᴜ̈ᴄᴋᴇʀ, 1983
DATZ 8/2002: 35
Colombia, W, 6 cm

♀ ▷ ⨀ ◐ ☺ ⬇ 🗔 ⇌ 🐟 ◇ m̄   <u>photo:</u> Erwin Schraml / Archiv A.C.S.

S20482-4 C 82 *Corydoras loxozonus* Nɪᴊssᴇɴ & Isʙʀᴜ̈ᴄᴋᴇʀ, 1983
DATZ 8/2002: 35
Colombia, W, 6 cm

▷ ⨀ ◐ ☺ ⬇ 🗔 ⇌ 🐟 ◇ m̄   <u>photo:</u> Schuzo Nakano / Archiv A.C.S.

S20483-4 C 83 *Corydoras* cf. *loxozonus* Nɪᴊssᴇɴ & Isʙʀᴜ̈ᴄᴋᴇʀ, 1983
(= C 79)   DATZ 8/2002: 35
Colombia, W, 6 cm

♂ ▷ ⨀ ◐ ☺ ⬇ 🗔 ⇌ 🐟 ◇ m̄   <u>photo:</u> Erwin Schraml / Archiv A.C.S.

S20483-4 C 83 *Corydoras* cf. *loxozonus* Nɪᴊssᴇɴ & Isʙʀᴜ̈ᴄᴋᴇʀ, 1983
(= C 79)   DATZ 8/2002: 35
Colombia, W, 6 cm

♀ ▷ ⨀ ◐ ☺ ⬇ 🗔 ⇌ 🐟 ◇ m̄   <u>photo:</u> Erwin Schraml / Archiv A.C.S.

S20482-4 C 82 *Corydoras loxozonus* Nɪᴊssᴇɴ & Isʙʀᴜ̈ᴄᴋᴇʀ, 1983
DATZ 8/2002: 35
Colombia, W, 6 cm

♀ ▷ ⨀ ◐ ☺ ⬇ 🗔 ⇌ 🐟 ◇ m̄   <u>photo:</u> Erwin Schraml / Archiv A.C.S.

S20483-4 C 83 *Corydoras* cf. *loxozonus* Nɪᴊssᴇɴ & Isʙʀᴜ̈ᴄᴋᴇʀ, 1983
(= C 79)   DATZ 8/2002: 35
Colombia, W, 6 cm

▷ ⨀ ◐ ☺ ⬇ 🗔 ⇌ 🐟 ◇ m̄   <u>photo:</u> Frank Schäfer

S20483-4 C 83 *Corydoras* cf. *loxozonus* Nɪᴊssᴇɴ & Isʙʀᴜ̈ᴄᴋᴇʀ, 1983
(= C 79)   DATZ 8/2002: 35
Colombia, W, 6 cm

♂ ▷ ⨀ ◐ ☺ ⬇ 🗔 ⇌ 🐟 ◇ m̄   <u>photo:</u> Erwin Schraml / Archiv A.C.S

S20483-4 C 83 *Corydoras* cf. *loxozonus* Nɪᴊssᴇɴ & Isʙʀᴜ̈ᴄᴋᴇʀ, 1983
(= C 79)   DATZ 8/2002: 35
Colombia, W, 6 cm

♀ ▷ ⨀ ◐ ☺ ⬇ 🗔 ⇌ 🐟 ◇ m̄   <u>photo:</u> Erwin Schraml / Archiv A.C.S.

S20484-4 C 84 *Corydoras* sp. aff. *melini*   DATZ 9/2002: 24

Colombia/Brazil: Rio Tiquié, W, 5 cm

▷ ♫ ◐ ☺ ⬇ 🔲 ⇌ 🐟 ◇ m̄   photo: Hans-Georg Evers

S20484-4 C 84 *Corydoras* sp. aff. *melini*   DATZ 9/2002: 24

Colombia/Brazil: Rio Tiquié, W, 5 cm

♂ ▷ ♫ ◐ ☺ ⬇ 🔲 ⇌ 🐟 ◇ m̄   photo: Frank Teigler/Archiv A.C.S.

S20484-4 C 84 *Corydoras* sp. aff. *melini*   DATZ 9/2002: 24

Colombia/Brazil: Rio Tiquié, W, 5 cm

♀ ▷ ♫ ◐ ☺ ⬇ 🔲 ⇌ 🐟 ◇ m̄   photo: Frank Teigler/Archiv A.C.S.

S20485-4 C 85 *Corydoras* sp. aff. *melini*   DATZ 9/2002: 24
"Mega-Metae"
Peru: upper Río Huallaga, W, 5 cm

▷ ♫ ◐ ☺ ⬇ 🔲 ⇌ 🐟 ◇ m̄   photo: Frank Schäfer

S20486-4 C 86 *Corydoras* sp.   DATZ 9/2002: 24

Brazil: Rio Tapajós; W, 8 cm

▷ ♫ ◐ ☺ ⬇ 🔲 ⇌ 🐟 ◇ m̄   photo: Hans-Georg Evers

S20487-4 C 87 *Corydoras* sp.   DATZ 9/2002: 24

Brazil: Rio Xingú, W, 6 cm

♂ ♀ ▷ ♫ ◐ ☺ ⬇ 🔲 ⇌ 🐟 ◇ m̄   photo: Frank Teigler/Archiv A.C.S.

S20487-4 C 87 *Corydoras* sp.   DATZ 9/2002: 24

Brazil: Rio Xingú, W, 6 cm

♀ ▷ ♫ ◐ ☺ ⬇ 🔲 ⇌ 🐟 ◇ m̄   photo: Frank Teigler/Archiv A.C.S.

S20487-4 C 87 *Corydoras* sp.   DATZ 9/2002: 24

Brazil: Rio Xingú, W, 6 cm

♂ ▷ ♫ ◐ ☺ ⬇ 🔲 ⇌ 🐟 ◇ m̄   photo: Frank Teigler/Archiv A.C.S.

S20487-4 C 87 *Corydoras* sp. DATZ 9/2002: 24

Brazil: Rio Xingú, W, 6 cm

♂ ♀ ▷ 🇫 ◑ ☺ ⬇ ▭ ⇌ ➝ ◇ m̄ photo: Frank Teigler/Archiv A.C.S.

S20488-4 C 88 *Corydoras* sp. aff. *undulatus* DATZ 9/2002: 24

Brazil: Mato Grosso, W, 5 cm

▷ 🇫 ◑ ☺ ⬇ ▭ ⇌ ➝ ◇ m̄ photo: Schuzo Nakano / Archiv A.C.S.

S20488-4 C 88 *Corydoras* sp. aff. *undulatus* DATZ 9/2002: 24

Brazil: Mato Grosso, W, 5 cm

▷ 🇫 ◑ ☺ ⬇ ▭ ⇌ ➝ ◇ m̄ photo: Frank Teigler/Archiv A.C.S.

S20489-4 C 89 *Corydoras* sp. DATZ 9/2002: 24
(= C 93)

Colombia, W, 3 (male)-5 (female) cm

♂ ▷ 🇫 ◑ ☺ ⬇ ▭ ⇌ ➝ ◇ m̄ photo: Hans-Georg Evers

S20489-4 C 89 *Corydoras* sp. DATZ 9/2002: 24
(= C 93)

Colombia, W, 3 (male)-5 (female) cm

♀ ▷ 🇫 ◑ ☺ ⬇ ▭ ⇌ ➝ ◇ m̄ photo: Hans-Georg Evers

S20490-4 C 90 *Corydoras* sp. DATZ 9/2002: 24

Venezuela: Río Manapiare, W, 5 cm

▷ 🇫 ◑ ☺ ⬇ ▭ ⇌ ➝ ◇ m̄ photo: Hans-Georg Evers

S20490-4 C 90 *Corydoras* sp. DATZ 9/2002: 24

Venezuela: Río Manapiare, W, 5 cm

▷ 🇫 ◑ ☺ ⬇ ▭ ⇌ ➝ ◇ m̄ photo: Frank Schäfer

S20490-4 C 90 *Corydoras* sp. DATZ 9/2002: 24

Venezuela: Río Manapiare, W, 5 cm

▷ 🇫 ◑ ☺ ⬇ ▭ ⇌ ➝ ◇ m̄ photo: Frank Schäfer

S20490-4 C 90 *Corydoras* sp.   DATZ 9/2002: 24

Venezuela: Río Manapiare, W, 5 cm

photo: Frank Schäfer

S20491-4 C 91 *Corydoras* sp.   DATZ 12/2002: 28

Peru: Río Huallaga, W, 5 cm

photo: Schuzo Nakano / Archiv A.C.S.

S20491-4 C 91 *Corydoras* sp.   DATZ 12/2002: 28

Peru: Río Huallaga, W, 5 cm

photo: Erwin Schraml / Archiv A.C.S.

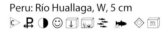

S20491-4 C 91 *Corydoras* sp.   DATZ 12/2002: 28

Peru: Río Huallaga, W, 5 cm

photo: Erwin Schraml / Archiv A.C.S.

S20492-4 C 92 *Corydoras* sp.   DATZ 12/2002:28

Peru: Río Huallaga, W, 6 cm

photo: Erwin Schraml / Archiv A.C.S.

S20492-4 C 92 *Corydoras* sp.   DATZ 12/2002:28

Peru: Río Huallaga, W, 6 cm

photo: Erwin Schraml / Archiv A.C.S.

S20492-4 C 92 *Corydoras* sp.   DATZ 12/2002:28

Peru: Río Huallaga, W, 6 cm

photo: Frank Schäfer

S20493-4 C 93 *Corydoras* sp.   DATZ 12/2002: 64
(= C 89)

Colombia, W, 3 (male)-5 (female) cm

photo: Hans-Georg Evers

S20494-4 C 94 *Corydoras* sp.   DATZ 1/2003: 24

Venezuela: Río Caroni basin, W, 6cm
   photo: Hans-Georg Evers

S20495-4 C 95 *Corydoras* sp.   DATZ 1/2003: 24

Venezuela: Río Caroni basin, W, 6cm
   photo: Hans-Georg Evers

S20496-3 C 96 *Corydoras* sp. aff. *armatus*   DATZ 1/2003: 24

Peru: Río Nanay, W, 5 cm
   photo: Schuzo Nakano / Archiv A.C.S.

S20496-3 C 96 *Corydoras* sp. aff. *armatus*   DATZ 1/2003: 24

Peru: Río Nanay, W, 5 cm
   photo: Erwin Schraml / Archiv A.C.S.

S20496-4 C 96 *Corydoras* sp. aff. *armatus*   DATZ 1/2003: 24

Peru: Río Nanay, W, 5 cm
   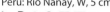photo: Erwin Schraml / Archiv A.C.S.

S20496-4 C 96 *Corydoras* sp. aff. *armatus*   DATZ 1/2003: 24

Peru: Río Nanay, W, 5 cm
   photo: Erwin Schraml / Archiv A.C.S.

S20497-4 C 97 *Corydoras* sp. aff. *atropersonatus*   DATZ 1/2003:24

Peru, W, 5 cm
                                        photo: Frank Teigler / Archiv A.C.S.

S20497-4 C 97 *Corydoras* sp. aff. *atropersonatus*   DATZ 1/2003:24

Peru, W, 5 cm
   photo: Frank Teigler / Archiv A.C.S.

S20497-4 C 97 *Corydoras* sp. aff. *atropersonatus*　　DATZ 1/2003:24

Peru, W, 5 cm

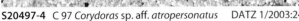　　photo: Frank Teigler / Archiv A.C.S.

S20498-4 C 98 *Corydoras* sp.　　DATZ 2003/5:18
"Evelynae Longnose"
Brazil, W, 6 cm

　　photo: Hans-Georg Evers

S20499-4 C 99 *Corydoras* sp.　　DATZ 2003/5:18

Venezuela, W, 6 cm

photo: Hans J. Mayland / Archiv A.C.S.

S20499-4 C 99 *Corydoras* sp.　　DATZ 2003/5:18

Venezuela, W, 6 cm

　　photo: Hans J. Mayland / Archiv A.C.S.

S20500-4 C 100 *Corydoras* sp. aff. *evelynae*　　DATZ 5/2003: 18

Brazil: upper Rio Negro, near São Gabriel da Cachoeira, W, 6 cm
♂ photo: Hans-Georg Evers

S20500-4 C 100 *Corydoras* sp. aff. *evelynae*　　DATZ 5/2003: 18

Brazil: upper Rio Negro, near São Gabriel da Cachoeira, W, 6 cm
♀ photo: Hans-Georg Evers

S20501-4 C 101 *Corydoras* sp.　　DATZ 5/2003: 18

Peru, W, 5-6 cm
♂ photo: Dietrich Rössel

S20502-4 C 102 *Corydoras* sp.　　DATZ 5/2003: 23
Note: this species was introduced as C73 in DATZ 10/2000
Peru, W, 6 cm

　　photo: Schuzo Nakano / Archiv A.C.S.

S20503-4 C 103 *Corydoras* sp.   DATZ 5/2003: 23
Note: this species was introduced as C 74 in DATZ 10/2000
Peru, W, 6 cm

▷ ⯑ ◑ ☺ ⬇ ☒ ⇌ ➤ ◇ ▥   photo: Hans-Georg Evers

S20503-4 C 103 *Corydoras* sp.   DATZ 5/2003: 23
Note: this species was introduced as C 74 in DATZ 10/2000
Peru, W, 6 cm

♂ ♀ ▷ ⯑ ◑ ☺ ⬇ ☒ ⇌ ➤ ◇ ▥   photo: Frank Schäfer

S20503-4 C 103 *Corydoras* sp.   DATZ 5/2003: 23
Note: this species was introduced as C 74 in DATZ 10/2000
Peru, W, 6 cm

♂ ♀ ▷ ⯑ ◑ ☺ ⬇ ☒ ⇌ ➤ ◇ ▥   photo: Frank Schäfer

S20504-4 C 104 *Corydoras* sp.   DATZ 5/2003: 23
Note: this species was introduced as C 75 in DATZ 10/2000
Unknown origin, W, 5 cm

▷ ⯑ ◑ ☺ ⬇ ☒ ⇌ ➤ ◇ ▥   photo: Dietrich Rössel

S20505-4 C 105 *Corydoras xinguensis* Nijssen, 1972
(= C 55, C 106, C 107, C 108)   DATZ 5/2003: 24
Brazil: Rio Xingú, W, 5 cm

♂ ▷ ⯑ ◑ ☺ ⬇ ☒ ⇌ ➤ ◇ ▥   photo: Erwin Schraml / Archiv A.C.S.

S20506-4 C 106 *Corydoras xinguensis* Nijssen, 1972
(= C 55, C 105, C 107, C 108)   DATZ 5/2003: 24
Brazil: Rio Xingú, W, 5 cm

▷ ⯑ ◑ ☺ ⬇ ☒ ⇌ ➤ ◇ ▥   photo: Frank Schäfer

S20507-4 C 107 *Corydoras xinguensis* Nijssen, 1972
(= C 55, C 105, C 106, C 108)   DATZ 5/2003: 24
Brazil: Rio Xingú, W, 5 cm

▷ ⯑ ◑ ☺ ⬇ ☒ ⇌ ➤ ◇ ▥   photo: Schuzo Nakano / Archiv A.C.S.

S20508-4 C 108 *Corydoras xinguensis* Nijssen, 1972
(= C 55, C 105, C 106, C 107)   DATZ 5/2003: 24
Brazil: Rio Xingú, W, 5 cm

♀ ▷ ⯑ ◑ ☺ ⬇ ☒ ⇌ ➤ ◇ ▥   photo: Erwin Schraml / Archiv A.C.S.

S20509-4 C 109 *Corydoras* sp. DATZ 7/2003: 23

Brazil: via Belém, W, 6 cm

▷ 🌡 ◑ ☺ 🔲 🔲 ≑ ➤ ◇ 🔲 photo: Hans-Georg Evers

S20510-4 C 110 *Corydoras* sp. DATZ 8/2003: 33

Brazil: Rio Purus drainage, Humaita, W, 6 cm

▷ 🌡 ◑ ☺ 🔲 🔲 ≑ ➤ ◇ 🔲 photo: Erwin Schraml / Archiv A.C.S.

S20510-4 C 110 *Corydoras* sp. DATZ 8/2003: 33

Brazil: Rio Purus drainage, Humaita, W, 6 cm

▷ 🌡 ◑ ☺ 🔲 🔲 ≑ ➤ ◇ 🔲 photo: Erwin Schraml / Archiv A.C.S.

S20511-4 C 111 *Corydoras nijsseni* SANDS, 1989 DATZ 9/2003: 40

Brazil: upper Rio Negro, São Gabriel da Cachoeira, W, 4 cm

♂ ▷ 🌡 ◑ ☺ 🔲 🔲 ≑ ➤ ◇ 🔲 photo: Erwin Schraml / Archiv A.C.S.

S20512-2 C 112 *Scleromystax* sp. DATZ 10/2003: 34
"Corydoras Baianinho II", juvenile
Brazil: São Paulo State, W, 7 cm

◁ 🌡 ◑ ☺ 🔲 🔲 ≑ ➤ ⚠ 🔲 photo: Hans-Georg Evers

S20512-4 C 112 *Scleromystax* sp. DATZ 10/2003: 34
"Corydoras Baianinho II"
Brazil: São Paulo State, W, 7 cm

♂ ◁ 🌡 ◑ ☺ 🔲 🔲 ≑ ➤ ⚠ 🔲 photo: Hans-Georg Evers

S20512-4 C 112 *Scleromystax* sp. DATZ 10/2003: 34
"Corydoras Baianinho II"
Brazil: São Paulo State, W, 7 cm

♀ ◁ 🌡 ◑ ☺ 🔲 🔲 ≑ ➤ ⚠ 🔲 photo: Hans-Georg Evers

S20513-3 C 113 *Scleromystax* sp. DATZ 10/2003: 34

Brazil: 200 km south of Salvadora Bahia, W, 6 cm

♂ ◁ 🌡 ◑ ☺ 🔲 🔲 ≑ ➤ ⚠ 🔲 photo: Erwin Schraml / Archiv A.C.S.

S20513-4 C 113 *Scleromystax* sp.   DATZ 10/2003: 34   **S20513-4** C 113 *Scleromystax* sp.   DATZ 10/2003: 34

Brazil: 200 km south of Salvadora Bahia, W, 6 cm   Brazil: 200 km south of Salvadora Bahia, W, 6 cm

♂ ◁ 🄿 ◐ ☺ ⬇ 🄼 ⇌ 🐟 ⚠ Ⓜ   photo: Frank Schäfer   ♀ ◁ 🄿 ◐ ☺ ⬇ 🄼 ⇌ 🐟 ⚠ Ⓜ   photo: Frank Schäfer

S20514-4 C 114 *Corydoras* sp. aff. *paleatus*   DATZ 10/2003: 36   **S20514-4** C 114 *Corydoras* sp. aff. *paleatus*   DATZ 10/2003: 36

Brazil: Paraná, near Curitibá, W, 6 cm   Brazil: Paraná, near Curitibá, W, 6 cm

♂ ◁ 🄿 ◐ ☺ ⬇ 🄼 ⇌ 🐟 ⚠ Ⓜ   photo: Hans-Georg Evers   ♀ ◁ 🄿 ◐ ☺ ⬇ 🄼 ⇌ 🐟 ⚠ Ⓜ   photo: Hans-Georg Evers

S20515-4 C 115 *Corydoras* sp.   DATZ 11/2003: 11   **S20515-4** C 115 *Corydoras* sp.   DATZ 11/2003: 11

Peru: upper Río Madre de Dios drainage, W, 6 cm   Peru: upper Río Madre de Dios drainage, W, 6 cm

▷ 🄿 ◐ ☺ ⬇ 🄼 ⇌ 🐟 ◇ Ⓜ   photo: Hans-Georg Evers   ▷ 🄿 ◐ ☺ ⬇ 🄼 ⇌ 🐟 ◇ Ⓜ   photo: Hans-Georg Evers

S20516-4 C 116 *Corydoras* sp.   DATZ 11/2003: 11   **S20517-4** C 117 *Corydoras* sp.   DATZ 11/2003: 13

Peru: upper Río Madre de Dios drainage, W, 6 cm   Brazil: Rondônia, Rio Purus, W, 6 cm

▷ 🄿 ◐ ☺ ⬇ 🄼 ⇌ 🐟 ◇ Ⓜ   photo: Hans-Georg Evers   ▷ 🄿 ◐ ☺ ⬇ 🄼 ⇌ 🐟 ◇ Ⓜ   photo: Hans-Georg Evers

S20517-4 C 117 *Corydoras* sp.   DATZ 11/2003: 13

Brazil: Rondônia, Rio Purus, W, 6 cm

photo: Hans-Georg Evers

S20518-4 C 118 *Aspidoras* sp.   DATZ 12/2003: 16

Brazil: W, 4 cm

photo: Hans-Georg Evers

S20519-4 C 119 *Aspidoras* sp.   DATZ 12/2003: 17

Brazil: W, 4 cm

photo: Hans-Georg Evers

S20520-4 C 120 *Corydoras* sp.   DATZ 12/2003: 17

Peru: Río Madre de Dios, W, 4 cm

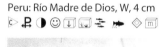

photo: Hans-Georg Evers

S20521-4 C 121 *Corydoras* cf. *burgessi* AXELROD, 1987

DATZ 3/2004: 20

Brazil: upper Rio Negro, W, 6 cm

photo: Frank Schäfer

S20521-4 C 121 *Corydoras* cf. *burgessi* AXELROD, 1987

DATZ 3/2004: 20

Brazil: upper Rio Negro, W, 6 cm

photo: Frank Schäfer

S20521-4 C 121 *Corydoras* cf. *burgessi* AXELROD, 1987

DATZ 3/2004: 20

Brazil: upper Rio Negro, W, 6 cm

photo: Erwin Schraml / Archiv A.C.S.

S20521-4 C 121 *Corydoras* cf. *burgessi* AXELROD, 1987

DATZ 3/2004: 20

Brazil: upper Rio Negro, W, 6 cm

photo: Erwin Schraml / Archiv A.C.S.

S20522-4 C 122 *Corydoras* cf. *maculifer*   DATZ 3/2004: 20

Note: This fish was erranously identified as *C. maculifer* in the hobby.

Brazil: central Rio Araguaia basin, W, 6 cm

photo: Schuzo Nakano / Archiv A.C.S.

S20523-4 C 123 *Corydoras* sp.   DATZ 3/2004: 21

Peru: Río Nanay, W, 4 cm

photo: Hans-Georg Evers

S20524-4 C 124 *Corydoras* sp.   DATZ 3/2004: 21

Peru: W, 6 cm

photo: Hans-Georg Evers

S20525-4 C 125 *Aspidoras* sp.   DATZ 3/2004: 32

Brazil: W, 4 cm

photo: Frank Teigler / Archiv A.C.S.

S20526-4 C 126 *Corydoras* sp. aff. *bilineatus*   DATZ 4/2004:36

Peru: Río Madre de Dios, W, 4-5 cm

photo: Hans-Georg Evers

S20527-4 C 127 *Corydoras* sp.   DATZ 4/2004:36

Peru: Río Ucayali basin, W, 6 cm

photo: Frank Schäfer

S20527-4 C 127 *Corydoras* sp.   DATZ 4/2004:36

Peru: Río Ucayali basin, W, 6 cm

photo: Frank Schäfer

S20528-4 C 128 *Corydoras* sp.   DATZ 6/2004: 22

Brazil: Rondônia, Rio Madeira near Humaita, W, 6 cm

photo: Hans-Georg Evers

S20528-4 C 128 *Corydoras* sp.   DATZ 6/2004: 22

Brazil: Rondônia, Rio Madeira near Humaita, W, 6 cm

   photo: Hans-Georg Evers

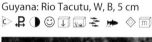

S20529-4 C 129 *Corydoras* sp.   DATZ 6/2004: 22

Guyana: Rio Tacutu, W, B, 5 cm

                                                   photo: Hans-Georg Evers

S20530-4 C 130 *Corydoras* sp. aff. *leopardus*   DATZ 6/2004: 23

Peru: Río Huallaga (?), W, 6 cm

                                                   photo: Frank Schäfer

S20530-4 C 130 *Corydoras* sp. aff. *leopardus*   DATZ 6/2004: 23

Peru: Río Huallaga (?), W, 6 cm

                                                   photo: Frank Schäfer

S20531-4 C 131 *Corydoras* sp. aff. *leopardus*   DATZ 6/2004: 23

Peru: Río Tapiche, W, 10 cm

   photo: Frank Schäfer

S20532-4 C 132 *Corydoras* sp.   DATZ 6/2004: 65
Known as "Corydoras nanus" in the hobby
Origin unknown, B, 4 cm

                                                   photo: Frank Schäfer

S20532-4 C 132 *Corydoras* sp.   DATZ 6/2004: 65
Known as "Corydoras nanus" in the hobby
Origin unknown, B, 4 cm

                                                   photo: Frank Schäfer

Halten Sie Ihr Aqua**log**-Lexikon über Jahre aktuell
*Keep your Aqua**log**-Lexicon up-to-date for years*

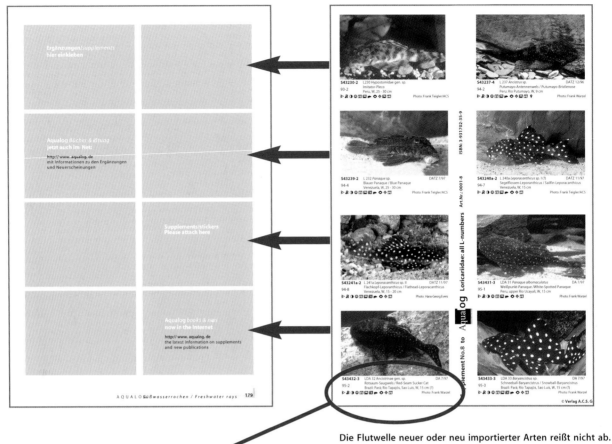

① S43432-3   LDA 32 Ancistrinae gen. sp.   DA 7/97
                Rotsaum-Saugwels / Red-Seam Sucker Cat
② 170/95-2   Brazil: Pará; Rio Tapajós, Sao Luis, W, 15 cm (?)

③ ▷ ⅊ ◑ ☺ 🗍 🗚 ➡ ◇ ◈ 🗍   Foto: Frank Warzel
                                  ④

① Code Nummer
Code number

② 1. Zahl: fortlaufende Bildnummer
*1. number: continuous picture
number*

2. Zahl: Seitennummer im Buch
*2. number: page number in the
book*

3. Zahl: Bildnummer auf der Seite
(durchlaufend numeriert von 1–8
von oben links nach unten rechts)
*3. number: picture number on the
page (continuously numbered from
1–8 from the top left corner to
bottom right)*

③ Symbol Leiste
Aqua**log**-Bücher
*Symbol text
(Aqua**log**-books)*

④ Bildautor
Photographer

Die Flutwelle neuer oder neu importierter Arten reißt nicht ab. Daher haben wir uns entschlossen, Ergänzungsbögen mit je acht Einklebebildern zu erstellen. Diese Ergänzungsbögen erhalten Sie, wenn Sie die Aqualog News, die internationale Zeitschrift für Aquarianer, abonnieren. Details zum Abonnement erhalten Sie im Internet unter www.aqualog.de oder bei einer der beiden folgenden Adressen:
Aqualog Verlag, Liebigstraße 1, D-63110 Rodgau
Fax: +49 (0) 6106 690140
animalbook.de, Liebigstraße 1, D-63110 Rodgau
Fax: +49 (0) 6106 697983

*The flood of new or newly-imported species doesn´t stop. So we have decided to print supplements with eight stickers each. You will get these supplements automatically, if you subscribe the AQUALOGnews, the international magazine for aquarists. For details, please check the internet:
www.aqualog.de or write to one of the following addresses:
Aqualog Verlag, Liebigstraße 1, D-63110 Rodgau
Fax: +49 (0) 6106 690140
animalbook.de, Liebigstraße 1, D-63110 Rodgau
Fax: +49 (0) 6106 697983*

Bitte beachten Sie nebenstehendes Schema, bevor Sie die Bilder einkleben. Die Ergänzungen erscheinen nicht zwangsläufig in der Reihenfolge, in der sie eingeklebt werden, sondern in der Reihenfolge ihrer Verfügbarkeit. Wenn wir z. B. anfangs nur das Bild eines Weibchens als Ergänzung haben, jedoch sicher sind, früher oder später auch das Bild eines Männchens zu bekommen, sollte das Bildkästchen links vom Weibchenbild frei bleiben.

Please follow the scheme given here, before you stick in the pictures. The supplements are not necessarily in the correct order. For example: if we have only the photo of a female, but we are sure to get the photo of the male sooner or later, too, please keep the space to the left of the female free.

In jeder
Aqualog - *news*

der interenationalen Zeitung für Aquarianer

finden Sie **stickups** als Ergänzungen
die Sie

hier

einkleben sollten, um stetsauf dem neuesten Stand zu sein.

In every
Aqualog - *news*

international newspaper for aquarists

you will find **stickups** as supplements
which should be sticked in

here

to make sure that you are always up-to-date

In jeder
Aqualog - *news*

der interenationalen Zeitung für Aquarianer

finden Sie **stickups** als Ergänzungen
die Sie

hier

einkleben sollten, um stetsauf dem neuesten Stand zu sein.

In every
Aqualog - *news*

international newspaper for aquarists

you will find **stickups** as supplements
which should be sticked in

here

to make sure that you are always up-to-date

In jeder
Aqualog - *news*

der interenationalen Zeitung für Aquarianer

finden Sie **stickups** als Ergänzungen
die Sie

hier

einkleben sollten, um stetsauf dem neuesten Stand zu sein.

In every
Aqualog - *news*

international newspaper for aquarists

you will find **stickups** as supplements
which should be sticked in

here

to make sure that you are always up-to-date

In jeder
Aqualog - *news*

der interenationalen Zeitung für Aquarianer

finden Sie **stickups** als Ergänzungen
die Sie

hier

einkleben sollten, um stetsauf dem neuesten Stand zu sein.

In every
Aqualog - *news*

international newspaper for aquarists

you will find **stickups** as supplements
which should be sticked in

here

to make sure that you are always up-to-date

In jeder
Aqualog - *news*

der interenationalen Zeitung für Aquarianer

finden Sie **stickups** als Ergänzungen
die Sie

hier

einkleben sollten, um stetsauf dem neuesten Stand zu sein.

In every
Aqualog - *news*

international newspaper for aquarists

you will find **stickups** as supplements
which should be sticked in

here

to make sure that you are always up-to-date

In jeder
Aqualog - *news*

der interenationalen Zeitung für Aquarianer

finden Sie **stickups** als Ergänzungen
die Sie

hier

einkleben sollten, um stetsauf dem neuesten Stand zu sein.

In every
Aqualog - *news*

international newspaper for aquarists

you will find **stickups** as supplements
which should be sticked in

here

to make sure that you are always up-to-date

In jeder
Aqualog - *news*

der interenationalen Zeitung für Aquarianer

finden Sie **stickups** als Ergänzungen
die Sie

hier

einkleben sollten, um stetsauf dem neuesten Stand zu sein.

In every
Aqualog - *news*

international newspaper for aquarists

you will find **stickups** as supplements
which should be sticked in

here

to make sure that you are always up-to-date

In jeder
Aqualog - *news*

der interenationalen Zeitung für Aquarianer

finden Sie **stickups** als Ergänzungen
die Sie

hier

einkleben sollten, um stetsauf dem neuesten Stand zu sein.

In every
Aqualog - *news*

international newspaper for aquarists

you will find **stickups** as supplements
which should be sticked in

here

to make sure that you are always up-to-date

In jeder
Aqualog - *news*
der interenationalen Zeitung für Aquarianer
finden Sie **stickups** als Ergänzungen
die Sie

hier

einkleben sollten, um stetsauf dem neuesten Stand zu sein.

In every
Aqualog - *news*
international newspaper for aquarists
you will find **stickups** as supplements
which should be sticked in

here

to make sure that you are always up-to-date

In jeder
Aqualog - *news*
der interenationalen Zeitung für Aquarianer
finden Sie **stickups** als Ergänzungen
die Sie

hier

einkleben sollten, um stetsauf dem neuesten Stand zu sein.

In every
Aqualog - *news*
international newspaper for aquarists
you will find **stickups** as supplements
which should be sticked in

here

to make sure that you are always up-to-date

In jeder
Aqualog - *news*
der interenationalen Zeitung für Aquarianer
finden Sie **stickups** als Ergänzungen
die Sie

hier

einkleben sollten, um stetsauf dem neuesten Stand zu sein.

In every
Aqualog - *news*
international newspaper for aquarists
you will find **stickups** as supplements
which should be sticked in

here

to make sure that you are always up-to-date

In jeder
Aqualog - *news*
der interenationalen Zeitung für Aquarianer
finden Sie **stickups** als Ergänzungen
die Sie

hier

einkleben sollten, um stetsauf dem neuesten Stand zu sein.

In every
Aqualog - *news*
international newspaper for aquarists
you will find **stickups** as supplements
which should be sticked in

here

to make sure that you are always up-to-date

In jeder
Aqualog - *news*

der interenationalen Zeitung für Aquarianer

finden Sie **stickups** als Ergänzungen
die Sie

hier

einkleben sollten, um stetsauf dem neuesten Stand zu sein.

In every
Aqualog - *news*

international newspaper for aquarists

you will find **stickups** as supplements
which should be sticked in

here

to make sure that you are always up-to-date

In jeder
Aqualog - *news*

der interenationalen Zeitung für Aquarianer

finden Sie **stickups** als Ergänzungen
die Sie

hier

einkleben sollten, um stetsauf dem neuesten Stand zu sein.

In every
Aqualog - *news*

international newspaper for aquarists

you will find **stickups** as supplements
which should be sticked in

here

to make sure that you are always up-to-date

In jeder
Aqualog - *news*

der interenationalen Zeitung für Aquarianer

finden Sie **stickups** als Ergänzungen
die Sie

hier

einkleben sollten, um stetsauf dem neuesten Stand zu sein.

In every
Aqualog - *news*

international newspaper for aquarists

you will find **stickups** as supplements
which should be sticked in

here

to make sure that you are always up-to-date

In jeder
Aqualog - *news*

der interenationalen Zeitung für Aquarianer

finden Sie **stickups** als Ergänzungen
die Sie

hier

einkleben sollten, um stetsauf dem neuesten Stand zu sein.

In every
Aqualog - *news*

international newspaper for aquarists

you will find **stickups** as supplements
which should be sticked in

here

to make sure that you are always up-to-date

In jeder
Aqualog - *news*
der interenationalen Zeitung für Aquarianer
finden Sie **stickups** als Ergänzungen
die Sie

hier

einkleben sollten, um stetsauf dem neuesten Stand zu sein.

In every
Aqualog - *news*
international newspaper for aquarists
you will find **stickups** as supplements
which should be sticked in

here

to make sure that you are always up-to-date

In jeder
Aqualog - *news*
der interenationalen Zeitung für Aquarianer
finden Sie **stickups** als Ergänzungen
die Sie

hier

einkleben sollten, um stetsauf dem neuesten Stand zu sein.

In every
Aqualog - *news*
international newspaper for aquarists
you will find **stickups** as supplements
which should be sticked in

here

to make sure that you are always up-to-date

In jeder
Aqualog - *news*
der interenationalen Zeitung für Aquarianer
finden Sie **stickups** als Ergänzungen
die Sie

hier

einkleben sollten, um stetsauf dem neuesten Stand zu sein.

In every
Aqualog - *news*
international newspaper for aquarists
you will find **stickups** as supplements
which should be sticked in

here

to make sure that you are always up-to-date

In jeder
Aqualog - *news*
der interenationalen Zeitung für Aquarianer
finden Sie **stickups** als Ergänzungen
die Sie

hier

einkleben sollten, um stetsauf dem neuesten Stand zu sein.

In every
Aqualog - *news*
international newspaper for aquarists
you will find **stickups** as supplements
which should be sticked in

here

to make sure that you are always up-to-date

In jeder
Aqualog - *news*

der interenationalen Zeitung für Aquarianer

finden Sie **stickups** als Ergänzungen
die Sie

hier

einkleben sollten, um stetsauf dem neuesten Stand zu sein.

In every
Aqualog - *news*

international newspaper for aquarists

you will find **stickups** as supplements
which should be sticked in

here

to make sure that you are always up-to-date

In jeder
Aqualog - *news*

der interenationalen Zeitung für Aquarianer

finden Sie **stickups** als Ergänzungen
die Sie

hier

einkleben sollten, um stetsauf dem neuesten Stand zu sein.

In every
Aqualog - *news*

international newspaper for aquarists

you will find **stickups** as supplements
which should be sticked in

here

to make sure that you are always up-to-date

In jeder
Aqualog - *news*

der interenationalen Zeitung für Aquarianer

finden Sie **stickups** als Ergänzungen
die Sie

hier

einkleben sollten, um stetsauf dem neuesten Stand zu sein.

In every
Aqualog - *news*

international newspaper for aquarists

you will find **stickups** as supplements
which should be sticked in

here

to make sure that you are always up-to-date

In jeder
Aqualog - *news*

der interenationalen Zeitung für Aquarianer

finden Sie **stickups** als Ergänzungen
die Sie

hier

einkleben sollten, um stetsauf dem neuesten Stand zu sein.

In every
Aqualog - *news*

international newspaper for aquarists

you will find **stickups** as supplements
which should be sticked in

here

to make sure that you are always up-to-date

In jeder
Aqualog - *news*
der interenationalen Zeitung für Aquarianer
finden Sie **stickups** als Ergänzungen
die Sie

hier

einkleben sollten, um stetsauf dem neuesten Stand zu sein.

In every
Aqualog - *news*
international newspaper for aquarists
you will find **stickups** as supplements
which should be sticked in

here

to make sure that you are always up-to-date

In jeder
Aqualog - *news*
der interenationalen Zeitung für Aquarianer
finden Sie **stickups** als Ergänzungen
die Sie

hier

einkleben sollten, um stetsauf dem neuesten Stand zu sein.

In every
Aqualog - *news*
international newspaper for aquarists
you will find **stickups** as supplements
which should be sticked in

here

to make sure that you are always up-to-date

In jeder
Aqualog - *news*
der interenationalen Zeitung für Aquarianer
finden Sie **stickups** als Ergänzungen
die Sie

hier

einkleben sollten, um stetsauf dem neuesten Stand zu sein.

In every
Aqualog - *news*
international newspaper for aquarists
you will find **stickups** as supplements
which should be sticked in

here

to make sure that you are always up-to-date

In jeder
Aqualog - *news*
der interenationalen Zeitung für Aquarianer
finden Sie **stickups** als Ergänzungen
die Sie

hier

einkleben sollten, um stetsauf dem neuesten Stand zu sein.

In every
Aqualog - *news*
international newspaper for aquarists
you will find **stickups** as supplements
which should be sticked in

here

to make sure that you are always up-to-date

In jeder
Aqualog - *news*

der interenationalen Zeitung für Aquarianer

finden Sie **stickups** als Ergänzungen
die Sie

hier

einkleben sollten, um stetsauf dem neuesten Stand zu sein.

In every
Aqualog - *news*

international newspaper for aquarists

you will find **stickups** as supplements
which should be sticked in

here

to make sure that you are always up-to-date

In jeder
Aqualog - *news*

der interenationalen Zeitung für Aquarianer

finden Sie **stickups** als Ergänzungen
die Sie

hier

einkleben sollten, um stetsauf dem neuesten Stand zu sein.

In every
Aqualog - *news*

international newspaper for aquarists

you will find **stickups** as supplements
which should be sticked in

here

to make sure that you are always up-to-date